D0653827

GEEF MIJ JE HAND

Van Julia Burgers-Drost verscheen ook:

Overwonnen twijfels
Steffie
Thuis in het Poorthuis
Door de tuinpoort

Julia Burgers-Drost

Geef mij je hand

Spiegelserie

ISBN: 978 90 597 7271 7
NUR 344

www.spiegelserie.nl
Omslagontwerp: Bas Mazur
©2007 Zomer & Keuning familieromans, Kampen
Alle rechten voorbehouden

1

DAAR IS–IE DAN: DE BOERDERIJ VAN OOM PIET!
Het gaat niet om een persoon die Piet heet of diens woning, het is meer een begrip.
Noortje van Duinkerken blijft abrupt staan, te midden van dorre pollen gras en kluiten modder. Ze klemt haar handen om de bovenste lat van een scheefgezakt hek en merkt niet eens dat het ruwe hout haar huid beschadigt.
De boerderij van oom Piet. Op afstand ziet ze nog een paar dezelfde bouwwerken staan. Waarschijnlijk, net als de boerderij van oom Piet, onbewoond en net zo vervallen.
De koude noordoostenwind blaast onder haar capuchon en speelt met een paar haarlokjes. Noortje veegt ze met een ongeduldig gebaar uit haar ogen.
Vanaf gisteren is het háár bezit. Niet te geloven, na alles wat er is gebeurd...

Ze waren de zandbak nog niet ontgroeid, Noortje en Willem. Aan fantasie ontbrak het 't buurjochie niet. Waarheid en leugen flanste hij kunstig door elkaar terwijl Noortje aan zijn lippen hing.
Het was tijdens het bakken van kleffe zandtaartjes dat ze voor het eerst hoorde over de boerderij van oom Piet.
Nee, de kleine Willem had hem nooit gezien. Maar hij bestond echt en later, als de oom er niet meer zou zijn, kregen zijn ouders de boerderij.
De boerderij werd telkens groter en mooier. Er stonden de modernste werktuigen. Het eigen land bestond uit onafzienbare akkers en weilanden. En een véé dat oom Piet bezat!
En reken maar dat oom Piet geld had. Zijn vader zei dat het in een oude sok zat, maar dat geloofde Willem niet. Noortje dacht dat het wel op de bank zou staan. Ze had zelf een spaarbankboekje waar haar

ouders trouw maandelijks een klein bedrag op stortten.
Had oom Piet dan geen kinderen die later boer wilden worden? De taartjes waren vervangen door schoolschriften en pennen, toen Noortje deze vraag stelde.
Daar moest Willem lang over nadenken. Jawel, hij dácht van wel. Er was een jonge Piet, maar die was niet zoals andere mensen. Bij die woorden tikte Willem tegen zijn voorhoofd. Noortje knikte ernstig. Getikt, begreep ze. Dus de jonge Piet zou nooit boer kunnen worden, vandaar dat de vader van Willem ooit de boerderij zou erven.
En nog weer later hoorde Noortje haar vader en die van Willem erover spreken. Tja, als Noortjes vader iets vertelde, was het altijd waar. Daar kon je van op aan!
Lange tijd werd er niet meer over de boerderij van oom Piet gesproken. Je zou het bijna vergeten. Heel af en toe was Willem in een bui dat hij blufte en op zulke momenten wilde het woord 'boerderij' evenals de naam 'oom Piet' nog wel eens boven komen drijven.
De zandbakvriendschap werd vele jaren later serieus: Noortje en Willem werden een stel. Het was toen dat er weer druk over de boerderij werd gesproken. 'Hadden we hem maar vast!' klaagde Willem wel eens. 'Dan hadden we gelijk een huis... misschien werd ik wel boer!' Want Willem was liever buiten in de natuur dan dat hij opgesloten zat tussen vier muren.
Noortje bleef nuchter onder zijn plannen en verlangens. 'Dan zou je váder de erfgenaam zijn, niet jij!'
Vóór Noortje met Willem in het huwelijksbootje stapte, waren zijn beide ouders vrij onverwachts gestorven. Nadat het huis was verkocht, was Willem in staat een eigen huisje voor hem en zijn Noortje te kopen. Aanvankelijk richtten ze het in met de meubels van Willems ouders. Noortje was – en is nog – snel tevreden. In tegenstelling tot Willem!
Nooit vond hij voldoening in zijn werk, herhaaldelijk wisselde hij van baan. Het woord promotie kende hij niet. Pas toen er twee kleine meisjes in hun huis rondkropen, begon het tot Noortje door te drin-

gen dat er iets scheef zat. Ze probeerde Willem te motiveren meer belangstelling voor zijn gezin te hebben zodat hij zou inzien dat er geld nodig was. Meer dan dat hij binnenbracht. De tweeling eiste Noortjes aandacht volledig op en ze zag uit naar de dag dat ze zo groot waren dat ze zelf een baan kon zoeken.
'Hadden we de boerderij van oom Piet maar vast!' droomde Willem meer dan eens. Zo werd ook voor de kinderen 'de boerderij van oom Piet' een ongrijpbaar begrip. Iets waar je naar uit kon kijken. Een soort gouden berg achter de horizon.
Toen ook de ouders van Noortje kwamen te sterven, verloor de jonge moeder het vertrouwen in de toekomst. Vooral haar vader had hen gesteund waar maar mogelijk was. Op alle gebied. Als er iets gerepareerd moest worden, hoefde Noortje maar te bellen. En meestal stopte hij haar een paar bankbiljetten in de hand. 'Van je moeder!'
Het ruimen van het ouderlijk huis maakte bij Noortje veel emoties los. Willem echter spoorde haar aan. 'Hoe eerder de tent leeg is, hoe eerder we kunnen vangen!'
Helaas kelderde de huizenprijs net in die tijd, voor Willem een tegenvaller.
Noortje wilde het vrijgekomen bedrag vastzetten. Per slot van rekening hadden ze twee meiden die niet dom waren en waarschijnlijk ooit aan een studie zouden beginnen. Voor het eerst hadden beide echtelieden met ruzie te maken. Van de liefde in het begin was niet veel meer te merken.
'Jij jaagt me op, Noortje! Als jij dat geld niet vast had gezet, had ik een eigen zaakje kunnen opzetten. Ik voel me gevangen!'
Later begreep Noortje dat die woorden het begin waren van wat er zich ooit voor zou doen.
Heel voorzichtig informeerde ze af en toe hoe het nu toch zat met de boerderij van oom Piet? Tot Willems ergernis was de gehandicapte zoon er ingetrokken en hij was niet van plan bij die achterneef ooit een voet in huis te zetten. Niet zolang hij leefde.
Noortje was dankbaar dat ze, nadat de meidjes vier jaar waren gewor-

den, een baantje op een kantoor bemachtigde. Ze had de grootste moeite om op niveau te komen, er was in de jaren dat ze uit het werkcircuit was, veel veranderd. Maar ze zette door. Volgde af en toe een cursus en was bereid te luisteren als ze van haar chef of collegaatjes adviezen kreeg. Nee, Noortje was niet hoogmoedig. Integendeel zelfs.

Ze begon net weer een beetje grip op haar leven te krijgen, toen ze ontdekte zwanger te zijn. Radeloos zocht ze naar oplossingen. Natuurlijk was een kindje welkom, dat was het niet. Maar zou ze kunnen blijven werken?

Ze was drieëneenhalve maand zwanger toen ze het Willem vertelde. Zijn reactie ontnam Noortje de laatste hoop dat het ooit goed zou komen tussen hen. 'Wat jij doet, is mij het huis uit jagen!' tierde hij. 'Opnieuw nachtenlang een brullend kind in de wieg. Overdag je ogen niet open kunnen houden. En voor wie doe je het? Voor een kind dat nooit 'dankjewel' zal zeggen voor alles wat je voor hem hebt gedaan!'

Noortje huilde stille tranen toen ze de babyuitzet klaarmaakte. Ze was zelf wel blij met de komst van het kindje en nadat ze van haar chef de verzekering had gekregen dat haar plaatsje tijdens en na de kraamtijd niet door een ander zou worden ingenomen, durfde ze heel voorzichtig blij te zijn. Willem of geen Willem...

Noortje beviel van een zoon. Willem leek er even toch wel gelukkig mee te zijn. Stelde voor hem Piet te noemen... want ooit zou de boerderij weer een hardwerkende eigenaar hebben! Een Piet van Duinkerken!

Uiteindelijk kreeg Noortje haar zin: het werd geen Piet, maar Peter Karel Willem. Hun beide vaders werden vernoemd. En die van de jonge pappa.

De kleine meisjes waren verrukt van hun broertje en hielpen hun moeder op hun manier zo goed als ze konden. Af en toe plukte Noortje een bedrag van de spaarrekening. De luiers waren duur, de kleertjes van de meisjes kon ze niet gebruiken, dus Peter kreeg alles nieuw.

Toen ze besloot nog één grote uitgaaf te doen voor een nieuwe kinderwagen, kreeg ze de schrik van haar leven.
Op de bank ontdekte ze dat er meer dan de helft van het geld was opgenomen door Willem. Toch schafte ze de kinderwagen aan, de oude was ooit weggegeven. Of ze haar verstand verloren had, vroeg Willem toen hij het exemplaar in de gang zag staan.
Noortje liet hem uitrazen en confronteerde hem toen met haar ontdekking. Willem kon er niet omheen, de waarheid kwam boven tafel. Hij vertelde dat hij stikte in hun huidige leven. 'Een vrouw leeft voor het huis en de kinderen, van een kerel als ik kun je dat niet verwachten. Ik wil vrijheid. Ik ga weg, Noortje. En misschien kom ik nooit terug. Ik kan een baan in het zuiden van Canada krijgen. In de houtbewerking. Zoiets heb ik altijd gewild, dat weet je zelf. En misschien doen we er goed aan te scheiden!'
Noortje bleef staande dankzij de kinderwagen waar ze zich aan vastgreep. Weg, Willem voorgoed weg. En scheiden... 'Misschien krijg je spijt, Willem, toe, doe me dat niet aan. Ik houd zoveel van je, ondanks alles! Scheiden! Dat woord komt toch niet in ons woordenboek voor! Wat zouden onze ouders gezegd hebben! Denk aan je kinderen!'
Willem zei kil dat zijn plannen al vaste vorm hadden aangenomen. Hij kon en wilde niet terug. 'En ik zal je geld sturen zo gauw ik wat verdien. Dat duurt vanzelf even, maar je kunt me vertrouwen! Officieel scheiden schuiven we voor ons uit, dat is van later zorg!'
Noortje noemde het tegen de buitenwereld een scheiding van tafel en bed. Ze schaamde zich tegenover haar kennissen en ze vroeg zich soms af of ze een leugentje om bestwil de wereld in zou brengen: Willem was overleden. Maar stel dat hij toch terugkwam?
Ze tobde jaren voort. Af en toe kwam er bericht uit Canada, een kort briefje en een cheque. Met tegenzin inde Noortje het geld dat ze toch zo bitterhard nodig had. Want de kinderen waren alle drie gezegend met een zeer goed verstand, dus werd het studeren.
Peter droomde ervan dierenarts te worden. Zou hij toch boerenbloed hebben? dacht Noortje wel eens. Hetzelfde bloed als door de aderen

van oom en neef Piet stroomde? De jongen sloeg een klas over en studeerde later als een van de jongsten af. Carmen leek het meest van alle drie op Noortje. Rustig en zorgvuldig, eigenschappen die ze in haar werk als apothekersassistente nodig had. Gerdien was werkzaam op de redactie van een damesblad. Alle drie konden zich goed redden en een vader misten ze niet!
Tot er een officieel schrijven kwam: Willem wilde scheiden. Hij was van plan te trouwen met de dochter van de directeur van het bedrijf waar hij werkzaam was. Noortje kon niet anders dan het verzoek inwilligen. Ze kon zich haar man nauwelijks meer voor de geest halen. Respect voor hem had ze allang niet meer...
Vanaf het moment dat de drie kinderen hun draai hadden gevonden, was er rust in het leven van Noortje. Ze deed veel vrijwilligerswerk en via een bedrijf kreeg ze thuiswerk. De zelfstandig wonende kinderen lieten zich vaak bij moeder zien. Uit medelijden? Misschien. Want ze beseften heel goed dat hun moeder ook haar dromen moet hebben gehad. Wat ze niet wisten, was dat Noortje nog steeds haar dromen had. Want zonder dat zou ze het leven niet aangekund hebben. Haar dromen zorgden ervoor dat ze het hoofd boven water kon houden...

Willem met zijn jonge vrouw was geen geluk beschoren. Weer komt er een officieel schrijven, dit keer van een medewerker van het bedrijf waar Willem werkzaam is. Willem is samen met zijn vrouw verongelukt tijdens een wildwaterkanotocht. Verdronken.
De vrouw was meteen dood, Willem heeft nog een dag of wat geleefd en was zelfs in staat een nieuw testament te maken. Vandaar het schrijven. Noortje is diep onder de indruk en wordt weer eens bij de dood bepaald. Ieder mens is sterfelijk, gelukkig is ze daar zelden mee bezig. Want bang is ze niet voor het moment dat ze er zelf voor komt te staan. Er is leven na dit leven, dat weet ze zeker. Een geloof in God dat ze over wist te brengen op haar kinderen en dat ze zelf vast wist te houden.

Ze mag dan officieel gescheiden zijn, ze voelt zich weduwe. Vrij van de man waar ze ooit zoveel van heeft gehouden. Samen hebben ze gedroomd. Vanaf dat ze samen in de zandbak bij Willem thuis in de achtertuin speelden.
De drie kinderen tasten de sfeer voorzichtig af. Moet mamma getroost worden? Kan ze het aan?
'Ik kan het zéker aan. In feite is er niets veranderd, lieverds, ons leven gaat gewoon door!'
Mis, Noortje!
Weer een poststuk uit Canada.
Willem, die getrouwd was met de dochter van de directeur van het houtbedrijf, was in zeer goeden doen. Aangezien hij geen kinderen met zijn tweede vrouw had, gaat zijn erfenis naar Noortje en de drie kinderen uit zijn eerste huwelijk. Dat de kinderen erven, vindt Noortje logisch. Maar dat haar naam genoemd wordt, blijft voor haar een vreemd gebaar. Of wilde Willem iets goedmaken toen hij zijn einde voelde naderen? Hij had bepaald dat de bezitting – inmiddels zíjn bezitting – verkocht moest worden als hij kwam te sterven. De opbrengst zou volledig voor het gezin zijn dat hij in Nederland achterliet.
Noortje krijgt zowaar de slappe lach als was ze een tiener wanneer ze ervaart dat ook de boerderij van oom Piet nu in haar bezit komt. Achterneef Piet liet het vervallen bedrijf jaren geleden al na aan het enige nog in leven zijnde familielid: Willem van Duinkerken. En nu is Noortje de eigenaresse van de boerderij van oom Piet.
Ze is Willem dankbaar dat ze nu voorgoed uit de financiële problemen is en de schulden die ze gemaakt heeft om de studie van de drie kinderen te kunnen bekostigen, kan aflossen. Geld maakt niet gelukkig, wordt gezegd, maar het moet er wel zijn. En het geeft Noortje de rust waar ze zo naar hunkert.
Gelukkig? Dat is ze met de boerderij van oom Piet! En waarom? Ze kan het niet verwoorden, maar het voelt als het winnen van een hardloopwedstrijd...

De drie volwassen kinderen zijn stomverbaasd dat hun moeder bericht van hun vader heeft gekregen, al is het helaas een bericht van zijn overlijden. Eigenlijk speelde de vader geen rol in hun leven. De beide meisjes hebben een schimmige herinnering aan hem. Wat nog wél duidelijk is, is dat er altijd een sfeer van spanning om hen heen hing toen ze klein waren.
Alle drie hebben ze bewondering voor de manier waarop hun moeder zich door het leven heen heeft geslagen. En nu: de erfenis! Een oude boerderij die waarschijnlijk in staat van verval is, boeit hen van geen kant. Maar dat geld... Natuurlijk is het een geruststelling dat mamma de gemaakte schulden kan aflossen. Zelf droegen ze wat dat aangaat ook hun steentje bij. Maar de last van de schuld drukte altijd en overal.
Noortje verdeelt het resterende bedrag in vieren. Ze handelt als een weduwe, terwijl ze zelfs niet het recht heeft zich zo te noemen.
Elk van de kinderen krijgt vast het deel dat anders na haar overlijden uitgekeerd zou moeten worden. En reken maar dat ze zich alle drie rijk voelen. Peter is bezig zich bij een maatschap in te kopen en had de nodige kopzorg of dat zou lukken! Zo ook Carmen en Gerdien. Het valt tegenwoordig niet mee om als alleenstaand jong mens een eigen onderkomen te bemachtigen. En opeens is het onmogelijke mogelijk geworden.
Carmen is bezorgd om hun moeder. Mam zal toch niet echt van plan zijn op die boerderij te gaan wonen? Ze moet er niet aan denken. Wat als ze ouder wordt en af en toe hulp nodig heeft? Eigenlijk wil ze het liefst daar met de anderen over spreken. Maar het is zo'n moeilijk onderwerp. Mam, die altijd voor hen heeft gezorgd, later hielp om volwassen te worden en altijd voor hen klaarstond, krijgt opeens dwaze verlangens. Verhuizen is nog tot daar aan toe. Maar zich terugtrekken in een negorij... daar kan niets goeds van komen. Carmen besluit, voor ze de anderen inschakelt, eerst zelf met mam te gaan praten. Misschien kan ze het tij keren door serieus op de mogelijke problemen te wijzen!

Terwijl Carmen achter de computer in haar kantoor zit en medicijnlijsten controleert, staat haar moeder geleund tegen een hek te dromen. Als Carmen haar kon zien, zou ze weten dat er voor Noortje van Duinkerken geen terug meer is!

Rust, alleen het ruisen van de wind door het dorre blad. Een wijde lucht met wolken waaruit af en toe een buitje regen valt. Aan de horizon het silhouet van een dorp. Een kerktoren, wat daken en groepen bomen. En een eind verderop nagenoeg hetzelfde beeld.
Een troep vogels vliegt in v-vorm hoog boven dat alles en Noortje, die hun gegak hoort, weet dat de dieren de reis naar hun zomerresidentie zijn begonnen. Per slot van rekening is de winter bijna verleden tijd. Ze glimlacht om zichzelf en de aandacht gaat als vanzelf weer naar de boerderij, naar de fantasieën van vroeger. Zelf geeft ze zich ook nu over aan allerlei onmogelijke plannen. Zodra ze zich vlak bij het woonhuis bevindt, weet ze, zullen alle dromen uit zijn. Want niet één ervan is te realiseren. Dat is de nuchtere kant van Noortje.
Het begint te regenen, fijne druppels als scherpe naaldjes bezeren de huid van Noortjes gezicht dat warm is van opwinding. Ze kijkt om naar de weg die ze heeft afgelegd. Een bijna onbegaanbaar pad dat als zodanig die benaming niet verdient. Aan het begin ervan staat haar autootje. Ze durfde het al oude vervoermiddel niet bloot te stellen aan de hobbelige bodem. Ze moet ook nog naar huis...
Maar niet nu.
Ze duwt het hek verder open en loopt langzaam richting boerderij. Aan de achterzijde ervan ziet ze schuren en een in elkaar gezakte hooiberg.
Die zijn zo goed als verdwenen uit het landschap, weet ze. Boeren maaien hun gras met enorme machines die het na het hooien en drogen machinaal verpakken tot grote bollen met grijs of groen plastic. Lelijk, vindt ze dat. Enorme bulten, soms in de vorm van een muur, ontsieren het boerenlandschap.
Het pad waarop ze loopt, is vrijwel egaal. Hier en daar een kuiltje

waar regenwater in staat, daargelaten. Ze heeft slechts één sleutel. Maar dat moet genoeg zijn. Als ze maar eenmaal binnen is... de boerderij van oom Piet. Voor de rechthoekige ramen hangt vitrage. Zo te zien behoorlijk vuil. Maar wat wil je? Oom Piet was waarschijnlijk een man die alleen woonde en zijn zoon zal niet in staat zijn geweest wat aan groot onderhoud te doen.
Ze probeert de sleutel op de voordeur, die eruitziet of hij nooit is geopend. Ze krijgt hem in het slot, maar draaien: ho maar! Het houtwerk is verveloos, ze had niet anders verwacht.
Noortje sluipt om het huis heen, ze voelt zich een inbreker. Terwijl ze het volste recht heeft hier te zijn!
Aan de andere kant van het huis zijn nog meer ramen die te vuil zijn om door te kijken. De vitrages zijn een eindje van elkaar geschoven. Noortje kijkt om en ziet dat van hieruit het uitzicht prachtig is. Niet strak zoals aan de noordzijde, maar licht glooiend. En bebost is het ook. Haar hart maakt een sprongetje.
De zijdeur die ze ontdekt, blijkt de hoofdingang te zijn geweest. Het stenen stoepje ervoor is uitgesleten. Tegen een muur ligt een half vergane klomp. Vreemd, dat beeld ontroert haar. Een teken dat de vorige bewoner achter heeft gelaten. De sleutel past en knarsend geeft het slot toe.
Een ferme duw en de deur vliegt open. Een muffe lucht beneemt Noortje bijna de adem. Wie weet wat ze tegenkomt... in ieder geval geen oom Piet. Ze moet zich niet aanstellen! En aan geesten gelooft ze niet. Ratten en muizen zijn banger voor háár dan zij voor hen.
De ruimte waarin ze staat is vierkant. Een grote pomp met een koperen zwengel is het eerste waar haar oog op valt. Zou hij het nog doen? Bij het nader bekijken van de zwengel bedenkt ze zich. Hij is te vies om aan te raken.
Ze loopt rechtdoor en opent de volgende deur. Daarachter is een stal. Er liggen plukken bijna vergaan hooi op de cementen vloer. Ze stelt zich voor hoe het was toen er nog vee op die plaatsen stond! Zo te zien is oom Piet in goeden doen geweest. En niet echt een kleine boer.

Tegen de wand staat een ladder die naar de hooizolder voert en als er een rat geschrokken langs haar voeten schiet, gilt Noortje het spontaan uit.
Ze beheerst zichzelf en loopt terug naar de entree. De deur naar de grote stal sluit ze zorgvuldig.
Hoe zal het woongedeelte eruitzien? Zou het door muizen en ander ongedierte bewoond worden?
Tot haar verbazing is het achter de tweede deur die ze opent, minder stoffig en aan de muffe lucht lijkt ze al gewend te zijn.
Voor de vensters zijn stevige vensterbanken getimmerd. Er staan nog een paar potten met wat bruine staakjes er in. Ooit een bloeiende plant?
In haar handtas laat haar mobieltje zich horen. Het kan niet anders of het is een van de kinderen. Meedogenloos drukt ze het toestel uit. Ze wil nu niet gestoord worden op haar ontdekkingstocht!
De woonkamer is tamelijk ruim en nog volledig gemeubileerd. Er staan prachtige kasten, onverslijtbare meubels, die slechts een nieuwe bekleding nodig hebben om weer mee te kunnen doen. Wie weet...
Er is ook een keuken. Een groot aanrecht, weer een pomp, maar ook een kraan. In de muurkasten staat serviesgoed. Om van te watertanden, vindt Noortje. In haar ogen zijn de motiefjes erop antiek. Fijn geslepen glazen staan naast grove mokken.
Op één van de mokken staat een naam. Hoe kan het anders? Piet, staat erop.
Aan de wanden hangen platen met Bijbelteksten. Een schilderij van een oude vrouw die op een stok steunt, naast haar een grote engel. Noortje blijft er even naar kijken. Zou ieder schepsel zo'n mooie beschermengel naast zich hebben? Onwillekeurig kijkt ze om. Hemelse geesten? Daar gelooft ze wél in.
Het tapijt op de vloer is versleten, maar ooit moet het 't aanzien van het vertrek cachet gegeven hebben. In de keuken staat een enorm grote tafel met stevige stoelen. Ze ziet ze zitten tijdens de koffiepauze: de boer en zijn knechten. Want een bedrijf als dit run je

niet in je eentje, dat heeft Noortje allang begrepen.
Waarschijnlijk speelde het leven zich voornamelijk af in de woonkeuken, vandaar dat de spullen in de kamer nog zo goed zijn. Daar hangt aan de wand een klok die ze haar hele leven al heeft willen hebben. Grote gewichten aan lange kettingen. Boven op de klok staan figuurtjes. Ze vraagt zich af of de klok nog wil lopen. Dat is van later zorg, ze houdt zich voor dat ze zich nu niet in details moet verliezen.
Vanuit de woonkamer gezien is het uitzicht adembenemend. Ze kijkt door de opengeschoven vitrage die bijna uit elkaar valt als je de stof beroert. Prachtig, de heuvels waar nu een paar verdwaalde zonnestralen over glijden, alsof ze krijgertje spelen in het landschap.
Noortje hoort zichzelf sidderend zuchten. Het is voor haar een avontuur!
Via de woonkamer komt ze in een gang terecht waar ze ook de voordeur ontdekt. Stevig vergrendeld. Een brede trap voert naar boven en tegenover de woonkamer is een deur die naar een kantoor leidt. Daar staat een bureau van zwaar eikenhout met laden als sinaasappelkisten, zo groot. Op het met leer beklede werkblad staat een zwarte schrijfmachine. Ondertussen antiek...
Een beker zonder oor met potloden en een verroeste schaar. Ook hier zijn wandkasten die stuk voor stuk een kapitaal waard moeten zijn, vermoedt de nieuwe eigenaresse.
Ze laat het kantoor voor wat het is en koerst naar boven. Schuine wanden, een primitieve badkamer met een bad op pootjes. Het is bruin van het roest en daar waar de kraan heeft gedrupt, is een spoor dat bijna zwart is te noemen.
De slaapkamers zijn niet groot, er is er slechts één met een bed. De lakens en dekens voelen klam aan. Ze liggen gevouwen op het voeteneind. Er is dus ooit iemand geweest die hier heeft opgeruimd, want er is geen spoor van kleding te vinden. Gelukkig maar, want dat zou oom Piet en zijn zoon te dichtbij hebben gebracht.
De ramen zijn vuil, hoe kan het anders. Maar ook hier is het uitzicht

prachtig. Althans: in de ogen van Noortje die hunkert naar rust, naar een plekje voor zichzelf. Zou ze hier kunnen wonen? Bivakkeren tot het in redelijke staat is?
Langzaam daalt ze de trap weer af. Waarschijnlijk zal een groot gedeelte van Willems geld opgaan aan restauratie. Maar het zal het waard zijn.
Het is inmiddels niet alleen opgehouden met regenen, de lucht wordt in het oosten ook helderder. De wind is feller geworden en Noortje moet zich dwingen om de bijgebouwen te inspecteren.
Daar, een klein huisje, zo lijkt het. Maar ze begrijpt al snel dat het een soort bakoven moet zijn geweest. Ooit zag ze in Arnhem, in het Openlucht Museum, iets dergelijks. Oom Piet was geen man van vernieuwingen.
De bijgebouwen zijn, op een enkel stuk na, leeggehaald. Geen groot materiaal, slechts wat harken, rieken en hooivorken ziet ze staan, dik ingepakt door spinnenwebben. Een kar met slechts één wiel, ziet ze. En een rij melkbussen, allemaal bruin van het roest. Maar is roest tegenwoordig niet 'in'?
Rondom het huis zijn onverzorgde weilanden en braakliggende grond, waar jonge berken en andere gewassen vrij spel hebben. Tot hoever reikt het bezit? vraagt Noortje zich af.
Het bezit? Háár bezit.
Het wordt tijd om terug te gaan. Eenmaal buiten draait ze de zijdeur op slot. Loopt nog een keer rondom het woonhuis plus stal heen. De staldeuren zijn hoog, dat zal voor het hooi zijn geweest, dat op hoge stapels binnen werd gebracht op wagens.
Ze zou hier een paard kunnen houden. Een verlangen uit haar verre jeugd. Als de vader van Willem en Willem zelf dit alles eens konden zien. En haar, Noortje, het buurmeisje dat in de zandbak kwam spelen.
En later mevrouw Van Duinkerken werd.
Als ze lopend achterom kijkt, spijt het haar opeens dat Willem dit nooit heeft kunnen zien. Waarom is hij niet teruggekomen om te kij-

ken naar zijn erfenis? Had hij het te goed, ginds in de Canadese bossen?
Voor haar is het begrip 'de boerderij van oom Piet' in stand gebleven.
Met spijt kruipt Noortje weer in haar autootje. Als ze hier wil wonen, zal ze een soort jeep moeten kopen die geen moeite heeft met de ongebaande wegen.
Terwijl ze de motor start en langzaam wegrijdt, neemt ze zich voor haar kinderen niet op de hoogte te brengen van wat ze zoal heeft ontdekt. Ze zullen tegen haar ingaan, haar uitlachen misschien. Haar plannen kleineren en herleiden tot dwaasheid.
Heeft ze dan plannen?
Jazeker. Noortje wil haar droom waarmaken. De droom van een eigen plek, zogezegd: haar huis onder de zon. Zacht neuriet ze de wijs van het bekende liedje. Ze heeft altijd een eigen huis gehad, maar nooit een huis waarvan ze het gevoel had dat het van haarzelf was.
De banden zoemen op het wegdek hun eigen lied, de motor bromt regelmatig en voor enkele momenten waant Noortje zich de gelukkigste mens op de wereld!

2

De rit naar huis rijdt Noortje op de automatische piloot. Wat zijn er veel mogelijkheden! Niemand om ze mee te delen, maar ook niemand die haar plannen lachend afkraakt, haar ontmoedigt. Hoeveel ze ook van haar drie kinderen houdt, veel met hen deelt, hier laat ze hen buiten. Ze zien mamma als een 'oude vrouw'. Weliswaar nog jeugdig om te zien, 'goed geconserveerd' noemde Gerdien het onlangs.
Hun moeder hoeft nog niet naar een verzorgingshuis, dat niet. Maar ze moet zich gedragen naar haar leeftijd, busreisjes maken nu ze het kan betalen. Met leeftijdsgenoten, dat wel. Misschien kan ze lid worden van de een of andere vereniging? Jawel, moeder is toe aan RUST!
Noortje klemt haar handen om het stuur. Rust. Alsof ze negentig is. Ze is gezegend met een goede gezondheid, daar dankt ze God dagelijks voor. En... voor haar karakter. Ze heeft net als Carmen een snelle geest, denkt veel na en spreekt weinig. Bedachtzaam noemde haar vader dat vroeger.
Oud... ze lacht voor zich heen. De duvel is oud, wordt wel eens geroepen.
Ze is jong getrouwd, vóór haar dertigste waren de drie kinderen al geboren. Als je begint vijftig bent, hoor je nog niet eens tot de 'jong bejaarden'. Ze voelt een nieuwe energiestroom door zich heen gaan.
Een boerderij. Dé boerderij van oom Piet.
Een opvangtehuis voor overspannen jonge moeders, of gescheiden vrouwen. Een bed-and-breakfast toestand. Een zorgboerderij...
Misschien kan ze er een bedrijfje oprichten waar biologische groenten en fruit worden geteeld. De mogelijkheden zijn vele. Het stormt in haar hoofd. Nee, ze houdt haar plannen geheim. Zelfs voor de weinige vriendinnen die ze heeft.
De zon breekt door, ze knijpt haar ogen tot spleetjes voor het onverwacht felle licht. Alle seizoenen meemaken, op het platteland. Geen

zorgen over onbetaalde rekeningen of belastingaanslagen. Geleidelijk aan ontspant ze zich. De weinige rimpeltjes die haar gezichtshuid telt, zijn aan financiële zorgen te wijten. Uitkomen met je inkomen en niemand om op terug te vallen. Ze voelt dat ze breed glimlacht.
Geen Noortje achter de geraniums. Stel je voor!
Ze rijdt niet rechtstreeks naar huis, dat in een buitenwijk van de middelgrote stad staat waar ze ook is geboren en getogen. Nee, ze stopt pas om te parkeren in het centrum.
Het is flink gaan waaien, de lucht is blauw en de wind speelt met de panden van haar jack, het grijsblonde haar fladdert voor haar ogen.
Als ze met een parkeerbonnetje terugloopt naar de auto, hoort ze haar mobiel. Ze schuift het kaartje op een voor buiten zichtbare plaats en ploft terug op de voorstoel.
'Mamma! Je nam niet op! Doe dat niet weer, ik maakte me al grote zorgen.'
Dat is Carmen, haar overbezorgde dochter die graag over mamma moedert. 'Daar is geen reden toe, lieverd. Ik heb een stuk gelopen... het voelt buiten lenteachtig aan. De wilde ganzen vliegen hoog in de lucht terug en dat luidt voor mij het voorjaar in.'
Carmen slaakt een zucht. 'Ik wilde vragen of je zin hebt samen te lunchen. Waar zit je, thuis? Ik kan met tien minuten in het centrum zijn, als je wilt!'
Even aarzelt Noortje. Carmen is zo scherp, soms vreest ze haar opmerkingsgave. Moeilijk om voor dat kind geheimen te hebben.
'Ik ben al in de stad. Zeg maar waar je heen wilt! Op de markt is een leuke croissanterie geopend. Net iets voor jou. Voor ons, bedoel ik!'
Carmen belooft er snel te zijn. 'Ga jij maar vast en zoek wat lekkers uit! Ik heb niet ontbeten en ik rammel van de honger, mam!'
Auto afsluiten, schoudertas schuin over de rug, vanwege handige zakkenrollers. In de winkelstraat is het rustig. Er kuieren kantoormensen die toe zijn aan een hapje buitenlucht. Sommigen verorberen gelijktijdig hun lunch. Scholieren hangen rond de friettenten,

moeders met peuters haasten zich naar huis.
Voor een schoenenzaak blijft Noortje staan. Ze bedenkt zich niet lang, gaat naar binnen en klampt een verkoopster aan. Wat mevrouw wenst? 'U wilt geholpen worden?' En of.
'Die gebloemde laarzen uit de etalage. Hebt u die in negenendertig? Veertig is ook goed, in laarzen draag je vaak sokken!'
Zeker, de laarzen zijn er in alle maten. Lichtgroene ondergrond, bezaaid met bloemetjes in allerlei kleuren.
Even later stapt Noortje, blij met de aankoop, haastig naar het afgesproken adres. Ze ziet zich al lopen, dwars door de weilanden. Natuurlijk met de laarzen aan haar voeten. Straks schaft ze nog meer praktische kleding aan. Tuinbroeken. Wat zullen de meiden griezelen als ze mamma in een tuinbroek zien!
Gelijk met Carmen arriveert ze bij de croissanterie. 'Mamma! Wat kijk je blij!' Carmen omhelst haar moeder en trekt haar mee de warme zaak in.
'Je bent aan het shoppen, zie ik. Goed teken, mam!'
Ze kiezen beiden hetzelfde. Cappuccino en een zwaar gevuld broodje met allerlei soorten sla, kaas, tomaten en ham. Carmen knort tevreden. 'Dat is pas echt brood, knapperig en vers. Heerlijk, mam!'
Na een paar happen is ze zo vrij om in de plastic tas van haar moeder te gluren. 'Mam! Wat heb je nu toch gekocht! Toch niet voor jezelf, hoop ik! Daar kun je echt niet mee de straat op! Niet op jouw leeftijd, mam!'
Carmen plukt één laars uit de zak en zet hem op tafel. Dwaas gezicht, zo tussen de borden met groenvoer en twee grote koppen koffie. 'Doe weg!' foetert Noortje terwijl ze blozend om zich heen kijkt.
'Wie koopt er nu zoiets smakeloos!' Carmen schuift de laars terug bij zijn soortgenoot en wijdt zich opnieuw aan haar lunch.
'Maak je niet zo druk. Ik werk ook nog wel eens in de tuin... ik ga in de toekomst veel wandelen en misschien neem ik wel een hond!'
Carmen blijft zich verbazen. Mam in de bocht. Het zou wel eens een teken van de overgang kunnen zijn. Misschien heeft ze last van het

legenestsyndroom. Carmen besluit haar zus en broer in te seinen dat ze mamma meer aandacht moeten geven.
Noortje weet het gesprek handig op Carmen zelf terug te brengen. 'En hoe is het met de liefde?' vist ze.
Carmen kleurt. 'Ik moet je bekennen dat er iets zit aan te komen, mam. Ik heb een leuke man ontmoet. Mijn leeftijd... vrijgezel. Eh... Gescheiden. Nou ja, bijna. Een nadeel is dat hij ongelovig is. Maar ja, als het hem goed wordt uitgelegd, zal hij inzien dat een leven zonder God en de Bijbel armoe is. En gescheiden... dat vind jij vast niet leuk. Maar zijn vrouw is een onmogelijk mens. Zat hem dwars tot en met, hij liep compleet aan haar leiband. Het is voor hem wel sneu dat hij zijn kindertjes niet vaak te zien krijgt...'
Noortje verslikt zich bijna in een radijsje. Gescheiden. Nou ja, dat was ze zelf ook, zij het onvrijwillig. En kinderen... een man met een rugzak. Rugzak? Een zware lading, zeg maar liever. 'Je bent nogal optimistisch over jouw manier van evangeliseren, vrees ik.' Noortje legt mes en vork neer. Ze wil haar dochter niet ontmoedigen, maar als moeder mag ze best waarschuwen. 'Lieverd, getrouwd zijn met iemand die niet, of heel anders dan jij gelooft, is vragen om moeilijkheden. Ten diepste ben je niet één, als er problemen zijn, wanneer je kinderen krijgt... wees niet boos dat ik zo reageer, maar ik houd zoveel van jullie!'
Carmen wist al wel dat haar moeder zo zou reageren. Het valt haar nog mee... 'Ik heb het goed overdacht, mam. En overhaasten doen we niets. De scheiding is nog niet uitgesproken. Er is nogal geharrewar over de kindertjes. Erg verdrietig allemaal. Maar ik houd van hem, mamma!'
Carmen krijgt tranen in haar mooie blauwe ogen en Noortjes hart doet pijn van liefde. Ze wil haar kinderen zo graag gelukkig zien. Gelukkiger dan ze zelf in het huwelijk is geweest.
'Het komt wel goed, mamma. Zo gauw hij vrij man is, stel ik hem aan je voor. Hij heeft een topbaan. Woont gigantisch mooi. Maar straks moet de alimentatie er ook af. Niet dat dat een probleem is. Ik zal

hem nooit ofte nimmer belemmeren zijn kinderen te zien! Integendeel, mam!'
Noortje legt beide handen over die van Carmen, die met haar vingers zit te friemelen. 'Als je maar nooit vergeet je hemelse Vader bij al je problemen in te schakelen.' Meer durft Noortje niet te zeggen. Carmen is geen kind meer, ze heeft niet het recht haar eigen gedachten en mening te spuien. Ze heeft respect voor haar kinderen en behandelt ze niet als haar lijfeigenen. Nooit gedaan ook. Nee, Carmen moet haar eigen beslissingen nemen. Ook al blijken die achteraf fout te zijn geweest. Nooit zal Noortje roepen: 'Heb ik het je niet gezegd? Had maar naar me geluisterd!'
Dat werkt niet.
'Eet je bord leeg!' zegt ze zonder nadenken en dan schieten beiden in de lach. Een lach, die bevrijdend werkt.
'Ja mammie!' piept Carmen met een klein stemmetje.
Zwijgend eten ze verder. Noortje bestelt nog een keer koffie, bestudeert de lijst waarop heerlijke ijsgerechten staan.
'Ik krijg honger van de liefde!' verzucht Carmen. Liefde maakt mooi, vindt haar moeder. Carmens huid lijkt zelfs doorschijnend te zijn, alsof er een lichtje achter brandt. Met een goed verzorgde hand veegt ze het krullende haar van het voorhoofd. Ogen die tintelen van geluk. Oh, wat gunt ze dit meisje het grootste geluk van de wereld! Het is of alle drie haar kinderen huiverig zijn zich te binden. Dertig zijn de meiden, Peter is zes jaar jonger. Ze hebben vrienden en vriendinnen, maar tot nu toe is er niemand thuisgekomen om een partner aan haar voor te stellen. Het voorbeeld thuis was ook niet bepaald bemoedigend. Een verre vader die zijn vrouw en kinderen in de steek liet. Wat een voorbeeld van ouderliefde en trouw. Ze hebben hun moeder nooit over Willem horen klagen. Zijn naam probeerde ze wanhopig hoog te houden, naar de kinderen en de buitenwacht toe.
Nee, een voorbeeld van een goed huwelijk hebben ze thuis niet gekregen, hooguit bij vriendjes en vriendinnetjes. Het zij zo.
'Niet zo zuchten, mam... het komt allemaal goed, dat zul je zien. Dat

kan niet anders. Mam... ik reken af en daarna ga ik er als de wiedeweerga vandoor. Ik moet een nieuwe collega inwerken. Een eigenwijs portret, komt uit een familie van artsen. Pa, ma, grootouders, broers en zus, ze hebben allemaal een medische graad. Maar zij, zij wilde zich niet zo druk maken... haar familie noemt een apotheker een kruidenier. Nou vraag ik je! Enfin, ik ben nogal verdraagzaam, net als jij, mam. Maar er zijn grenzen, waar of niet?'
Carmen zoekt haar portemonnee en gaat staan. Noortje krijgt een knuffel, met de belofte dat haar dochter snel langskomt. 'Als je tenminste niet weg bent op die dwaze laarzen van je!'
Noortje lacht maar wat, en denkt: Wacht maar, dit is pas het begin... er staat nog veel en veel meer te gebeuren! Ze kijkt haar dochter na, met een bekommerde blik in haar ogen. En denkt: Ach meisje, een man met een verleden... dat kan nooit goed gaan? Of toch wel? Ze ziet de door de man verlaten vrouw voor zich, de kinderen nog klein. Met lange passen beent Carmen langs het raam van de croissanterie, de panden van haar regenjas flapperen om haar heen. Fier rechtop loopt ze, het hoofd geheven. Ze wendt zich naar het raam en zwaait naar haar moeder, het gezicht één en al leven, verwachtingsvolle vreugde.
Een al wat oudere vrouw die met behulp van een rollator zich voortbeweegt, blijft bij Noortje staan. 'Zo gaat dat, zo vergaat het ons allemaal. Kleine kinderen, kleine zorgen. Grote kinderen...' Ze lacht zacht. Noortje wendt zich om. Ze ziet begrip in de ogen van de vrouw. Is het zo duidelijk dat ze een zwaar gemoed heeft aangaande Carmen?
Noortje krijgt een kneepje in haar schouder en vraagt zich af of ze werkelijk zo'n open boek is. Een antwoord vindt ze niet zo gauw.
'Bedenk maar: waarschijnlijk overleven ze ons allemaal. Raad hebben ze niet nodig. Laat ze hun eigen fouten maken... zelf de consequenties ervan dragen. Als jij lang en breed bij de Here bent, zitten zij zich nog zorgen over hún kinderen te maken. Waar of niet waar?'
Ze laat Noortjes schouder los en loopt zonder groet verder.

Noortje wrijft de plek op haar schouder waar de vrouw haar heeft vastgehouden. Ze kan moeilijk lopen, dat is duidelijk, maar in haar handen heeft ze heel veel kracht. Zeker weten dat het een blauwe plek wordt.
Vreemd dat je opeens moe kunt worden. Doodmoe zelfs. En dat niet van inspanning. Het zit dieper en Noortje weet dat ze zich moet verzetten. Ze bestelt nog een kop koffie. Zwart en sterk. Letterlijk een opkikkertje. Want ze wil nog doorgaan met shoppen.
Al winkelend komt ze weer tot rust, drijft Carmen met haar plannen wat naar de achtergrond. Dat vrouwtje zojuist had het grootste gelijk van de wereld. Ze moet als moeder naast haar kinderen staan en ze niet de les lezen. Raad geven als erom gevraagd wordt...
Inmiddels is ze twee stevige tuinbroeken rijker. Plus een fleecetrui met capuchon. Staande bij de kassa om af te rekenen, bedenkt ze zich en haalt er snel nog twee bij. Werkkleding wordt het. Twee rode en een hemelsblauwe.
Even later passeert ze een zaakje waarin tweedehands boeken worden verkocht. Ze is er vaste klant en de al wat oudere eigenaar begroet haar als een vriendin. 'Zo, daar ben je dan weer eens. Ik dacht onlangs nog: Waar blijft Noortje toch?'
Noortje drukt de hand van de gebogen man. Daan Pruisen is in de loop van de jaren een soort vriend geworden. 'Druk-druk, Daan. Zoals de meeste mensen. Ik kom niet voor leesvoer, ik zoek speciale lectuur. Misschien kun je me raad geven...'
Daan is nieuwsgierig. 'Wat mag dat dan wel zijn, meisje?'
Het meisje laat zich op een stoel zakken en plant haar tassen eronder. Haar voeten glippen uit de schoenen en zoeken als vanzelf de gedraaide poot van de mahoniehouten tafel. 'Het is een lang verhaal, Daan...'
Daan zegt dan eerst de theepot te halen. 'Vers, net gezet.'
Noortje ontdoet zich van haar jack en kijkt genietend om zich heen. Ze snuift de muffige geur van oude boeken op. Altijd in moeilijke uren heeft ze zich verdiept in het een of andere boek. Een vlucht uit

de werkelijkheid. En dat voelde goed. Alsof er een betrouwbare vriend op bezoek was.
'Thee. En nog een koekje erbij ook.' Daans handen trillen als hij de theepot hanteert. De huid van zijn handen is gerimpeld en ziet bruin van de ouderdomsvlekken. Dankbaar neemt Noortje de gebarsten mok aan.
'Lekker Daan, ik ben er echt aan toe. Wat een dag!'
Daan is ook gaan zitten. Moeilijkheden met de kinderen? Ze wonen alle drie op zichzelf, maar dat zegt niets. De tijd dat hun moeder boekjes over Okkie Pepernoot en De dolle tweeling kocht, is allang verleden tijd.
'Ik heb een boerderij geërfd, Daan. Was ooit bezit van de familie van mijn man. Het ziet er niét uit... het erf, het woonhuis... alles is verwaarloosd en niet zo'n klein beetje. Er staan zo'n vijf of zes boerderijen met akkers ertussen. Was vroeger waarschijnlijk een minidorpje. Ik wil er iets mee doen!' Noortje nipt van de hete thee. Lekkere zwarte thee is het, geen bloemen- of kruidenvocht. Echte, ouderwetse thee.
'Wat kan ik ermee doen, behalve voor boerin spelen? Trouwens, dat zou me toch niet lukken. Ik wil bijvoorbeeld bloemen kweken, of biologische groenten. Misschien is het geschikt voor vrouwen die een paar weken rust nodig hebben. Er zijn zoveel mogelijkheden, Daan. Ik moet beslissen voor ik aan het renoveren sla. Dat wordt toch wel een vakman inhuren, vrees is. Heb je een suggestie? Misschien is er een boek waar ik inspiratie uit kan halen?'
Daan drinkt kalm van zijn thee, houdt ondertussen twee mannen die langs de rekken lopen, in de gaten. Zijn oude ogen zijn nog scherp.
'Een boerderij. Tjonge. Alleen de grond is de erfenis al waard, kind. Zou je het niet verkopen en er leuk van op reis gaan?'
Noortje kleurt en protesteert zonder woorden. Daan moet erom lachen. 'Ik zeg al niks meer. Je wilt ondernemer worden. Daar moet ik dan eens goed over nadenken. Ik ken je zo'n beetje. Je kunt het goed met mensen vinden. Tja... er zijn genoeg mensen die geen werk

kunnen krijgen vanwege een handicap. Ik bedoel niet de zwaar invaliden, maar mensen met een sociale stoornis, bijvoorbeeld. Of iemand die altijd pech heeft gehad bij sollicitaties. Moedeloos is geworden...'
Noortje onderbreekt hem. 'Ik kan dan wel met mensen omgaan, Daan, maar ik ben niet geschikt voor sociaal werkster. Mensen met een stoornis... hoe vind ik die dan?'
Daans handen gebaren terwijl hij praat. 'Je geeft ze een dak boven hun hoofd. Eten en drinken, dat spreekt. De één kan in ruil daarvoor een kruidentuin verzorgen. Een ander zorgt bijvoorbeeld voor de schapen. De opbrengst verkoop je aan een restaurant of een groenteboer. Zo ook met je appels en kersen. Alles biologisch geteeld. Bietjes, tomaten en wortels. Je zult klanten uit de wijde omtrek krijgen, want biologisch eten is ín, meid! En wat bewoners betreft... Zo ken ik een vrouw van midden veertig die nergens terecht kan. Ze is zo handig als wat. Altijd bij de ouders gewoond, het mes sneed aan twee kanten. De vader en moeder zorgden voor haar en later waren de rollen omgedraaid. Ze is te goed voor een tehuis. Staat hier en daar op een wachtlijst voor plaatsing in een woongroep. Kijk, zo iemand kun je helpen. Zij kan haar leven weer oppakken en het zin geven. Jij hebt iemand die de plintjes afstoft en de bedden opmaakt!'
Een lange rede voor Daans doen. Noortje vouwt haar handen om de mok en knikt nadenkend. 'Misschien is dát het, het plan, bedoel ik. Het klinkt goed zoals je het voorstelt!'
De twee zoekende mannen hebben gevonden wat ze zochten. 'Tom Poes en Ollie B. Bommel. Tjonge, wat zijn die dingen prijzig, meneer! Vroeger kocht je ze voor nog geen anderhalve gulden!'
Daan lacht hen vriendelijk uit. 'Eerste druk, heren. Ze zijn in goede staat. Ik heb ze net binnen en ik kan u garanderen dat ze vóór volgende week verkocht zijn!'
Mooi niet, de mannen zijn bereid de pittige prijs te betalen. Noortje luistert geamuseerd naar het vriendschappelijke gekibbel. Daans zaken gaan prima, zeker weten.
Ze schenkt beide mokken nog eens vol en rimpelt haar voorhoofd in

een diep nadenken. Een soort tehuis dus. Werkverschaffing en een opbrengst.
Of zoiets uit kan...
Daan schuift, nadat beide mannen zijn vertrokken, weer aan het tafeltje. 'Er zijn natuurlijk nog meer mogelijkheden. Maar dit lijkt me haalbaar. Je zult mensen moeten aantrekken die de boel zo aanleggen dat je er wat mee kunt. Het hangt van de grootte van de erfenis af of het iets wordt!'
Daar is Noortje zich ten volle van bewust. 'Land en tuinbouw, Daan, dat hoort bij een boerderij. Maar ik kan me niet veroorloven een stel mensen met problemen binnen te halen. Ze moeten een zekere mate van zelfstandigheid hebben. Ik heb geen psychiatrische opleiding!'
Daan beweert dat een buurman of een achternichtje soms een betere hulpverlener is dan de officiële mensen. 'Dat kan!' zegt hij stellig.
'Dieren... beesten die verzorgd moeten worden en nog wat opbrengen ook. Ik wil kaas leren maken.... Geitenkaas. Oh, ik ga morgen meteen op stap om te onderzoeken waar ik dat kan leren. En ik kan excursies geven voor schoolkinderen. Kaarsenmaken, dat is ook iets wat ze leuk vinden. Geitjes, schapen, konijnen en kippen. Ganzen, daar ben ik dol op. En niet één ervan gaat met kerst de pan in!'
De theepot is leeg. In een donker hoekje tussen de boekenrekken in, staat een klok. Ooit een pronkstuk, nu is hij scheef en beschadigd. Hij slaat zeven zware slagen. Maar dat betekent niets, weet Noortje. Dat doet hij namelijk ieder heel uur. Ze kijkt op haar horloge. Er is niemand die thuis op haar wacht, haast heeft ze niet.
Ondertussen scharrelt Daan tussen de boeken. Hij vindt iets over kaas maken en zelfs een uitgave met als onderwerp 'kaarsen maken met kinderen'.
'Zelf kruiden kweken. Alsjeblieft, bekijk het maar eens.' Daan vindt nog meer boeken met onderwerpen die eventueel geschikt zijn. 'Wat jij ook zou kunnen doen, Noortje, is dagelijks een verslagje schrijven over dat wat je gedaan hebt. Wie weet kun je het uitgeven of aan een

blad verkopen. Je hebt toch een dochter die bij een uitgeverij van damesbladen werkt?'
Noortje lacht hem uit. Gerdien zal beleefd, maar overtuigend zeggen dat zoiets niets is. 'Wie zou dat nou willen lezen?'
'Je hebt zeker geen computer?' vist Daan terwijl hij de boekjes in zijn handen weegt alsof ze per ons verkocht moeten worden.
'Oh jawel. Een afdankertje van mijn zoon. Die vond dat moeder "on line" moest kunnen zijn. "Zonder internet kun je niet leven, mam!" Dat zei hij, de lieverd. Al weer jaren geleden. Ik heb zelfs een tijdje thuiswerk gedaan, alles per computer. Ja, ik kan natuurlijk op internet van alles gaan zoeken. Als ik maar de juiste uitgangspunten kan vinden. En voor mezelf is het leuk om een soort dagboek bij te houden. Jij hebt goede ideeën, lieve Daan!'
Voor zes euro zijn de boeken van Noortje. Daan schuift ze in een plastic tasje waarop de naam van een groentezaak staat. 'Hou me op de hoogte. Ik leef met je mee. Je bent nog zo jong, Noortje. Goed dat je wat onderneemt nu de kinderen je zorg niet meer nodig hebben! Kom gauw nog eens langs!'
Terwijl Noortje zich naar huis spoedt, zit Carmen aan de telefoon en kwebbelt honderduit met haar zus. 'Mam heeft last van een teveel aan energie. Ze heeft nota bene bloemetjeslaarzen gekocht. Om te gieren, kind. En ik heb haar verteld over Joris. Ze zei niet veel, maar haar gezicht sprak boekdelen. Enfin, ik verwachtte ook geen steun van haar in dat opzicht. Maar waar ik voor bel...'
Carmen voelt zich behaaglijk in haar nieuwe flatje. Mamma heeft haar ook nog eens verwend en geholpen met de inrichting te betalen. 'Ik wil ander werk zoeken, Gerdien. Nooit gedacht dat ik zou balen van de apotheek. Zeker nu er een nieuwe collega is die ik niet zie zitten. Ik moest het even kwijt, mamma wil ik, nu ze ouder wordt, niet meer lastigvallen met mijn sores!'
Daar is Gerdien het mee eens. 'Eigenlijk zou mam een vriend moeten hebben. Heb je dat boek gelezen over een vrouw die voor haar moeder op zoek gaat naar een man? Schitterend. Niet dat ik het ons

zie doen! Op internet staan genoeg advertenties. Natuurlijk meer vrouwen dan mannen!'
Carmen slaakt een kreet. 'Wil jij het zelf op die manier proberen, Ger? Om te gillen... gaan we "en famille". Pikken gelijk ons broertje mee. Trouwens... ík heb Joris al!'
Gerdien snuift. Pas als Joris vrij is, kan het wat worden. Ze heeft Carmen op het hart gedrukt zich in te houden tot dat ogenblik.
Carmen schiet in de verdediging. 'Wacht maar tot je mijn wonderman gezien hebt!'
Een andere baan? Wat heeft Carmen dan in gedachten? Carmen zegt het niet te weten. 'Gewoon, verkeerde opleiding gekozen. Ik ben er op uitgekeken. Natuurlijk kan ik het in een ziekenhuis proberen, maar ik houd niet zo van de sfeer daar. Al die ellende, daar sta je machteloos tegenover.'
Gerdien beweert dat Carmen juist daar op haar plaats zou zijn. 'Neus eens rond. Schakel anders een bureau in dat voor je zoekt, lieverd. Flink van je om zo'n stap te durven nemen! Je lijkt wel op mamma, maar ik denk dat je de aard hebt van onze pa. Rusteloos, ondernemend... het leven in eigen hand nemen. Zie je dat mamma al doen?'
Ze lachen saamhorig en liefdevol om hun moeder.
'Ik breek af. Joris belt dadelijk. Vaste prik: hij moet een kind naar de een of andere club brengen. Hij wacht voor de deur omdat het de moeite niet is om naar huis te gaan. Dus... ik zie je zondag, op mams verjaardag. Heb jij al een cadeau?'
Gerdien grinnikt. 'Wat dacht je van een tweede paar bloemetjeslaarzen? Er is een hele lijn van, wist je dat: kruiwagen, plastic schort, tuinhandschoenen en klompen. Dat soort spul. Laten we morgenavond gaan winkelen. Koopavond. Als je tenminste kunt vanwege Joris!'
Carmen voelt duidelijk de afwijzing in Gerdiens manier van spreken. Niet op letten, ze leidt haar eigen leven, o zo. 'Deal! Ik kom je halen!'
De tweeling verbreekt gelijktijdig de verbinding. Maar zoals gewoonlijk blijven beiden nog lange tijd bezig met dat wat de ander vertelde.

3

NOORTJE WEET HET ZEKER: ZE WIL EEN HOND. HET LIEFST TWEE, LATER nog meer. En ze vindt het een prachtig verjaarscadeau. Peter weet toch nooit iets te geven en komt doorgaans aanzetten met een rijk gevulde bloemenmand en een boekenbon of iets dergelijks. Een asielhond zou, gezien de overvolle hokken, het meest voor de hand liggen. Maar ze wil als eerste hond een pup, rechtstreeks van de moeder. Wie kan daar beter voor zorgen dan Peet?

Zodra ze haar inkopen heeft uitgepakt en op de bank in de woonkamer heeft uitgestald, belt ze haar zoon. Het spreekuur zal net afgelopen zijn, hopelijk treft ze hem nog in de praktijk.

'Peet! Met mij. Met mamma!'

Peter lacht. Het klinkt net zo als de lach van zijn vader, lang geleden. 'Dacht je dat ik je stem niet herkende, moedertje? Wat zal het zijn! Moet ik wat voor je doen?'

Verontwaardigd zegt Noortje dat dit zelden het geval is. 'Ik kan me nog best redden, jochie! Maar ik bel omdat ik zondag jarig ben!'

Ja ja, mam, weer een jaartje erbij, denkt Peter.

'Dat weet ik en ik kom meteen uit de kerk. Ik moet alleen nog even zoeken naar een cadeautje voor een oude dame!'

Noortje perst haar lippen op elkaar. Jawel, de oude dame.

'Ik wil een pup. Rechtstreeks uit een nest. Dus geen zielenpoot waar jij zo'n medelijden mee hebt. Misschien later... maar als eerste hond wil ik een jonge hond. Kun je dat regelen?'

Peter is even sprakeloos. Als eerste hond... later misschien. Ongerust informeert hij of mam misschien wil gaan fokken? Noortje houdt haar adem in. Dat is ook nog een idee! Honden fokken, niemand zal last hebben van overlast zoals blaffen. Plek genoeg om de dieren vrijheid te geven. 'Nou...' aarzelt ze.

Peter speelt mee. Denkt dat het een grapje is. 'Mijn moeder de fokster. Je wilt natuurlijk een superrashond hebben. Al een soort in ge-

dachten? Ik ken verscheidene fokkers, mam. Wil je de garage inrichten als kennel? Je krijgt natuurlijk van mij korting bij alle behandelingen. Dat spreekt!'
Ze lachen samen, maar om verschillende redenen.
Peter belooft dat hij rond zal kijken, zal zoeken in zijn klantenbestand op de computer. 'Zeker weten dat er een cockertje in de aanbieding is, en ook een golden retriever. Wacht jij maar af waar ik mee aan kom zetten, mam!'
Peter verbreekt de verbinding en heeft het prettige gevoel zijn moeder eindelijk eens een echt plezier te kunnen doen. Hond, plus mand, plus halsbandje en riem. Etensbakje, drinkbakje. Een bal om achteraan te hollen, wat speeltjes en een boekje over hondenopvoeding. Het beste doet mam om naar een puppycursus te gaan. Leuk cadeautje voor moederdag!
Noortje is ook tevreden. Een hondje. Diep vanbinnen heeft ze dat altijd al gewild. Ze heeft ondertussen trek gekregen en loopt naar de keuken om te zien wat er zoal nog in de koelkast ligt. Niet veel bijzonders. Eigen schuld. Shoppen in plaats van een bezoek aan de supermarkt. Ze vult een pan met water en zet een verpakking macaroni op het aanrecht. Tomatensaus is zo gemaakt. Uit de diepvries plukt ze een pakje gehakt, terwijl ze denkt: Leve de magnetron! Ze zet het apparaat op ontdooien en terwijl ze daar op wacht, raspt ze een stuk kaas.
Als het gehakt plus een gesnipperd uitje in de hapjespan ligt te pruttelen, ontdoet ze zich van haar spijkerbroek en trekt een van de nieuwe tuinbroeken aan. Parmantig stapt ze door de kamer. Geweldig, er zitten veel zakken in het kledingstuk. Ze kijkt verliefd naar de vrolijke laarzen en vouwt de broekspijpen zó dat ze erin kunnen.
Vreemd toch, ze voelt zich jonger dan toen ze zeventien of achttien jaar was. Ze denkt aan het merkwaardige vrouwtje met de rollator. Grote kinderen, grote zorgen. Ze ís er voor hen, maar van helpen is geen sprake. Ze is in een nieuwe levensfase beland. En als ze nu niet voor zichzelf kiest, dan valt ze in een gat dat naar niemandsland voert.

Zeker weten. Ze moet de tijd die haar rest, zelf invulling geven en niet gaan zitten afwachten tot een ander dat doet. Want er ís geen ander. Alleen herinneringen!

Op het moment dat Noortje een potje koffie heeft gezet en zich op de bank wil installeren, rinkelt de bel, drie, vier maal achterelkaar. Bovendien wordt er ook nog eens op de deur gebonsd. 'Lieve help! Waar is de brand?' mompelt Noortje. Zeker een van de kinders. Want wie anders zou het wagen zich op een dusdanige manier bij haar te melden?

Ze opent de voordeur met een ruk en is verrast het gezicht van haar overbuurman te zien. 'Bart! Je laat me schrikken, jongen. Je ziet eruit alsof ik-weet-niet-wie je op de hielen zit!'

Bart duwt haar nogal ruw opzij en duikt de gang in. 'Red me, Noortje! Mijn moeder heeft weer eens een club vrouwen uitgenodigd. Jawel, allemaal geschikte huwelijkskandidaten. Er valt niet met haar te praten!'

Noortje gluurt naar de overkant. Jawel, ze telt zo al minstens zes wagens, verschillend in merk, kleur en grootte. Ze grinnikt en als ze ziet dat Bart haar overgordijnen hermetisch sluit, schatert ze het uit. 'Neem me niet kwalijk dat ik het zeg, Bart: Aafke zou dikke pret hebben als ze het kon zien.'

Bart lacht met haar mee. Aafke, zijn vrouw, is veel te jong overleden. En Bart is nog lang niet toe aan een nieuwe relatie. Zijn moeder is na Aafkes dood tijdelijk bij hem in getrokken en aanvankelijk was Bart dolblij met haar hulp. Maar het begrip 'tijdelijk' wordt door beiden verschillend ingevuld, zo blijkt. Ze wist hem te motiveren weer aan het werk te gaan, zijn sociale leven weer op te pakken waar het stil was blijven staan toen bekend werd wat Aafke mankeerde. Zijn moeder vindt het nu tijd worden dat Bart weer een levenspartner zoekt. En omdat hij dat niet van plan schijnt te zijn, kan ze niet anders dan zich ermee bemoeien.

Bart ploft op een stoel neer en zegt klagend, terwijl hij op zijn vingers

aftelt: 'De verpleegkundige die Aafke op het laatst heeft verzorgd. De dame van de thuishulp. Twee weduwen uit de straat hierachter, hoe ma ze heeft leren kennen, is me een raadsel. Ik zag ze voor het raam zitten toen ik argeloos naar binnen wilde. Als een dief sloop ik mijn eigen tuin door... Laat zien wie we nog meer in de aanbieding hebben. Een vroegtijdig gepensioneerde schooljuf die psychische klachten heeft. Het zou me niets verbazen als er achter in de kamer nog meer vrouwlui zitten. Noortje, geef me raad!'
Noortje blijft lachen. Barts toch al rode gezicht is bijna paars, zijn rossige haar staat overeind. Alsof hij een strandwandeling heeft gemaakt tijdens windkracht negen.
'Als je uitgelachen bent, kan ik dan een kop koffie krijgen?' Dat kan. En even later zitten ze tegenover elkaar, bekijken het probleem van alle kanten.
'Ma is een best mens. Wat te netjes naar mijn zin... anders dan Aafke. Maar ze heeft me als het ware gered, destijds. Ik heb al vaak gezegd: "Ma, ga terug naar je eigen huisje. Ik red me wel, ik beloof geen rare dingen te doen." Want daar is ze bang voor omdat ik vlak na Aafkes dood dingen riep zoals dat het voor mij niet meer hoefde... ik kon beter met mijn wagen tegen een boom knallen. Ik vraag je: wie is niét knettergek van verdriet en pijn in zulke omstandigheden? Aafke... je was bevriend met haar. Niet één van die vrouwen kan aan mijn Aafke tippen. Ik snak naar rust, Noortje!'
Noortje schenkt nog koffie in en knikt. 'Je zult een list moeten bedenken.'
Bart slobbert hoorbaar van zijn koffie. 'Zei heer Bommel dat ook niet vaak tegen Tom Poes? "Bedenk een list, jonge vriend!" Mijn ma laat zich niet bedotten. Ze denkt dat ze me helpt!'
Noortje zegt maar niet wat ze denkt: had ze zélf nog maar een ouder die zich zo roerend om haar bekommerde. Hoewel: wat mevrouw De Wolf doet, is geen bekommeren meer, eerder bemoeizucht.
'Waarom verzin je geen verloofde? Overval het gezelschap en roep dat je een vriendin hebt!'

Bart knort. Dan valt zijn oog op de bloemetjeslaarzen. 'Meid, wat een dartele laarzen zijn dat. Wat ben je van plan? De tuin omspitten?'
Noortje tuurt naar de laarzen en overweegt of ze Bart in vertrouwen over haar plannen kan vertellen.
'Ik heb zulke wilde plannen, Bart...' begint ze.
Bart valt haar in de rede. 'Zeg niet dat jij voor verloofde wilt spelen! Je bent er dwaas genoeg voor!'
'Idee! Het is alleen zo moeilijk om later terug te krabbelen. Heel de buurt zal over ons roddelen. Bovendien ben ik te oud voor jou, jongen. We schelen minstens tien jaar... als het nou andersom was! Jij ouder dan ik. Hoewel het in de mode schijnt te zijn om als vrouw een jonge minnaar te hebben!'
Bart rekt zich uit, staat dan op om de overgordijnen nog beter dicht te trekken. 'Gaat niet, Bart. Ze blijven kieren. Ik heb de gordijnen destijds met te grote plooien gemaakt zonder na te meten. Te veel werk om alles uit te halen.'
Bart gaat berustend zitten. De vrouwen zullen echt niet op een rij voor de kier gaan staan, begrijpt hij.
'Plannen, Noortje? Ga je verhuizen? Vertel op!'
En dat doet ze. Zo beknopt mogelijk. Tot Bart haar in de rede valt.
'Maar Noortje, begrijp ik goed dat je altijd van je ex bent blijven houden? Dat was hij toch niet waard...'
Noortje veegt langs haar ogen. 'Waard... dat klinkt zo naar. We hielden van elkaar. Vanaf dat we peuters waren. Maar Willem had een moeilijk karakter. Wil je het verhaal verder horen?'
Bart vergeet zijn eigen problemen en luistert geboeid. Als Noortje zwijgt, vraagt hij wat nu de plannen zijn. 'Weet waar je aan begint, meid. Ik zou die bouwval wel eens willen zien! Ik moet zeggen dat ik het geweldig van Willem vind dat hij aan zijn ex-vrouw en kinderen heeft gedacht, in het uur van zijn dood. Want zo mag je het toch wel stellen. Hoe is de reactie van de kinderen?'
Noortje vertelt over hun vreugde toen ze hun meedeelde dat de financiële problemen tot het verleden behoorden. 'Ze vonden wel alle

drie dat hun pa hen als kinderen heeft verwaarloosd. Amper alimentatie betaalde, zodat ik het erg zwaar heb gehad. Peter zei: "Dat kan geen geld goedmaken, mam!" Nou ja... ik ben er best trots op dat ik de kinderen een goede opvoeding heb gegeven met de beperkte middelen die mij ten dienste stonden. Ze kunnen zich redden, en mij hebben ze niet meer nodig. Dat is de kunst: kinderen zo opvoeden dat je jezelf overbodig maakt. Ik verzin het niet zelf, heb ik ooit ergens gelezen. Maar van de boerderij weten ze niets. Dat hou ik ook zo. Ik heb geen zin in hun commentaar. Ze zien me toch al als een oud vrouwtje... Ik heb dit nodig, Bart! Een uitdaging. Je mag best eens mee om te kijken. Misschien inspireer je me!'
Bart springt op. Noortje kijkt al bezorgd naar de gordijnen. Maar nee, iets anders zit hem dwars. 'Ma zal ongetwijfeld ongerust zijn. Heb ik zo gauw niet aan gedacht. Ik ga af en toe naar een vriend met wie ik musiceer. De gitaar... ik heb hem van zolder gehaald, opgepoetst en voorzichtig wat getokkeld. Soms komen er wat jongelui bij... we spelen Blue Grass. Een soort cowboymuziek.
Ik heb mijn mobiel in de auto liggen. Mag ik jouw telefoon even gebruiken? Dan zeg ik dat ik bij een vriendin zit. Vanaf nu ben je geen buurvrouw meer, maar een vriendin!'
Bart lacht schelms.
Noortje vangt zijn gedeelte van het gesprek op en glimlachend loopt ze met de koffiekopjes naar de keuken. Bart heeft vast wel zin in een biertje. Dat heeft ze altijd in huis vanwege Peter. Die maakt het zich bij moeders graag gezellig. Hoewel ze van zijn bezoekjes geniet, denkt ze vaak: Had hij maar een vriendin. Trouwplannen, op den duur kleinkinderen. De meiden kunnen zich alleen prima redden, vindt ze. Maar Peter! Die kan zoveel eenzaamheid uitstralen dat het bijna tastbaar is.
Bart komt haar in de keuken opzoeken. 'Lekker, doe mij maar een biertje, Noortje. Ik heb op mijn kop gehad! Alsof ik een jochie van tien ben dat maar niet thuiskomt. Nou ja, ma trekt wel weer bij. Dat ik bij een vriendin zit, kwam nogal hard aan!'

Ze lachen saamhorig en zodra Bart het flesje bier in zijn hand heeft – een glas hoefde van hem niet – heft hij het omhoog. 'Op mijn lieve moedertje! Ze zal het goed bedoelen, daar twijfel ik niet aan, maar af en toe voel ik me in mijn eigen huis niet meer thuis. Begrijp je? Noortje, wil je niet tijdelijk mijn vriendin zijn?'
Noortje bestudeert de inhoud van haar koelkast. Ze schudt haar hoofd. 'Ik ben veel te bang dat ik niet meer van je afkom, jongen! Je doet er het beste aan een keus uit de vrouwen bij je thuis te maken... moeder tevreden, jij niet langer alleen en je hebt tenminste een vrouw aan de man geholpen...'
In gedachten maakt ze een boodschappenlijstje. Ze sluit de deur met een klap. 'Bart, waarom kom je zondagmorgen na de kerk niet een bakje koffie halen? Je moeder mag ook mee... ik ben jarig. De kinderen komen ook. Ze zijn tegenwoordig dankzij de erfenis, constant in een goede bui...'
Bart zet zijn lege flesje op het aanrecht. 'Dankzij je ex. Ik blijf het vreemd vinden... heeft een van de kinderen zijn aard geërfd?'
Noortje zegt het niet te hopen en geeuwt steels achter haar hand. Bart begrijpt de hint. 'Ik kom zondagochtend graag. Met mamaatje. Ik wens je een goede nacht, droom maar van je boerderij. Zondag maken we een afspraak... ik wil de bouwval graag zien!'
Noortje loopt achter hem aan naar de voordeur. 'Dan moet je het allemaal wel door míjn ogen zien. Ja?'
Bart kijkt bedenkelijk. 'Wie weet...' Hij gluurt de straat af. 'Zo te zien zijn de dames ervandoor. Laten we het hopen!'
Hij tikt ten afscheid Noortje op een schouder en beent weg. Noortje sluit de deur achter hem. Nog even zappen voor de tv. Ondertussen de voorbije dag overdenken. En genieten van haar fantasieën.

Er zijn twee diensten, zoals elke zondag. Noortje gaat meestal naar de tweede dienst, maar dit keer niet. Ze heeft het nodige voor de verjaarsontvangst klaar. Maar toch. Ze vindt het moeilijk haar geheim

voor zich te houden. Maar de kritiek van haar volwassen kinderen – als ze het vertelt komt die kritiek zeker – zal haar terneer drukken. Nee, ze confronteert ze liever op een later tijdstip met vaststaande plannen.
De voorganger is niet alleen een vlot spreker, hij windt ook geen doekjes om de boodschap. Geen donderpreek, maar wel een waarschuwing dat de tijd kort is. 'God talmt niet...'
Noortje overdenkt zijn woorden als ze naar huis loopt. Talmen, wat een ouderwets woord. Maar ze begrijpt de term goed. Ze draaft door het leven, zoals veel mensen. Wie weet heeft ze niet eens de tijd om alles wat met het evangelie te maken heeft, op de lange baan te schuiven. Denk aan de dingen die Boven zijn. Ook zoiets. Terwijl je spruitjes schoonmaakt of de tuin aanharkt.
Eenmaal thuis zet ze het koffiezetapparaat aan, klopt de verse slagroom stijf en haalt het gebak uit de koelkast. Wat zou het leuk zijn als er straks kleinkindertjes meekwamen... droomt ze. Ze zou het speelgoed van haar eigen kinderen van zolder halen. De poppen, een houten trein waar Peet zo intens mee heeft gespeeld. Wie weet wat ze nog mag meemaken.
Bart en zijn moeder zijn de eerste gasten. Moeder heeft een prachtig boeket bloemen in haar handen.
'Van ons beiden, Noortje. Van harte!'
Bart geeft Noortje een vette knipoog. Noortje bedankt voor de prachtige bloemen en zegt meteen een vaas te pakken. 'Zoeken jullie ondertussen een stoel!'
Carmen en Gerdien komen achterom en omhelzen hun moeder. 'Meiden dan toch... geweldig dat jullie zo vroeg zijn.' Cadeautjes. Parfum: lelietjes-van-dalen. Een vrolijk gekleurde sjaal. Een foto van de twee meiden in een beeldige zilveren lijst.
'Speciaal voor jou gemaakt, mamma. Peter wilde niet mee naar de fotograaf. Sorry... oh kijk, als laatste krijg je een tegoedbon voor die nieuwe kledingzaak in het centrum. Is er al bezoek?'
Carmen zegt hen bezig te zullen houden, terwijl Gerdien haar moe-

der helpt. Ze deelt de taart in stukken, zet suiker, melk en slagroom op een blaadje.
Noortje heeft meteen gemerkt dat Carmen een nieuwe armband om heeft. Zo te zien goud. Vast een cadeautje van de man die nog moet scheiden.
'Carmen... die man... het zit me niet lekker, Gerdien.'
Gerdien legt een hand over haar moeders mond. 'Nu niet tobben, mamma. Kom, dan gaan we naar de kamer. Ik snak naar een stukje van die heerlijke taart!'
Carmen en Bart praten gelijktijdig en dwars door elkaar heen, zonder te luisteren. Moeder De Wolf staart van de een naar de ander, Noortje vreest dat ze het leeftijdsverschil tussen beiden berekent. Maar klikken tussen die twee doet het wel.
De koffie met taart zorgt voor een pauze, de monden vallen stil. Noortje loopt terug naar de keuken om de vaas met bloemen te halen en plaatst deze op de piano. 'Kijk toch eens hoe goed ze hier uitkomen tegen de lichte muur. Nogmaals mijn dank!'
Barts moeder knikt en kan ondertussen geen oog van Carmen af houden.
Ze haalt diep adem en maakt gebruik van de gesprekspauze. 'Carmen, heb je een vriend? Ik zou zo zeggen dat je er ruimschoots de leeftijd voor hebt!'
Het knappe gezicht van Carmen wordt rood tot aan de haarwortels. Ze aarzelt, knikt dan heftig. 'Ik heb een vriend, hij is wat ouder dan ik. Zodra hij gescheiden is, stel ik hem aan mijn familie en bekenden voor. Het is nu allemaal nog een beetje gecompliceerd!' Gerdien schudt ongemerkt haar hoofd. Domme zus om er zo open over te zijn. Zelf moet ze nog zien of het aan blijft tussen die twee!
'Daar is Peet!' zegt Noortje verheugd als ze een autoportier hoort dichtklappen. Ze haast zich naar de voordeur.
'Is je broer de oudste?' vist de moeder van Bart.
Noortje opent lachend de voordeur. Ze loopt met wijd geopende armen op hem toe, ziet dan pas wat hij tegen zijn borst klemt.

'Nee! Ja, wat geweldig!' schalt Noortjes stem. Een hondje, heel jong nog. Flapoortjes, een nat neusje en dikke pootjes.
'Je nieuwe vriend, mam! Een cockerspaniël. Vers uit het nest. Ik hoop dat je de bonte kleuren leuk vindt. Het is een meisje...'
Noortje omhelst – het gaat wat moeizaam – haar zoon en krijgt meteen een portie hondenzoenen. Peter duwt het trillende diertje in zijn moeders armen.
'Veel geluk met haar, lieve ma. En nog vele, vele jaren in gezondheid. Dat is mijn wens voor jou!' Noortje heeft voor dit kind van haar een speciaal plekje in haar hart. De meisjes accepteren dat gemakkelijk, zij hadden vanaf hun geboorte een vriendinnetje.
'Ik loop even terug om de bijbehorende spullen te halen! En, oh ja, ze is ontwormd een heeft de nodige spuiten gehad. Ja, het is een hondje met een paspoort!'
Noortje knuffelt het diertje dat zacht jankt. 'Jij mist het nest, je moedertje en je broertjes en zusjes, arme jij. Maar je zult het goed hebben bij mij, reken maar!' Ze plant een vette kus boven op het kopje.
'Mijn nieuwe huisgenoot!' Ze hoort zelf dat ze nog net niet jubelt. De meiden beginnen te klappen en springen op.
Bart grijnst naar zijn moeder. 'Ma, een hond is ook iets voor mij. Dan kun je stoppen met je gekoppel!'
Peter komt binnen met een mand van gevlochten riet. Erin een bont gekleurd kussen, en een standaard met twee bakjes van roestvrijstaal. 'Cockers hebben van die lange oren en als ze laag bij de grond drinken, worden die aanhangsels nogal nat.' Hij zet het vrachtje op de grond en vist uit zijn broekzak een rood riempje. 'En mam, je begrijpt dat je gratis consult krijgt bij ziekte...'
Noortje kijkt haar zoon innig dankbaar aan. 'Jij weet niet hoe blij je me gemaakt hebt. Wat een cadeau...' Ze zet het diertje in de mand en knuffelt Peter ten tweeden male. Hij grijnst van oor tot oor.
Barts moeder zegt zorgelijk dat dieren leuk zijn, maar o wee wanneer hun tijd om is. 'Dan is het huilen... rouwen en weet ik wat nog meer!' Haar mondhoeken duiken omlaag.

Peter gaat naast haar zitten en zegt opgewekt: 'Rouwen betekent dat het dier geliefd is geweest. Tja, dat moet je verwerken. En na geruime tijd opnieuw beginnen...' Peter kan het weten!
'Een mens kan in zijn of haar leven vanzelf een behoorlijk aantal huisdieren als gezelschap hebben!'
Gerdien haalt koffie voor haar broer terwijl de anderen zich met de pup bezighouden. 'Nog een boekje, mam. Hoe voed ik mijn hond op. Wijze dingen staan erin... als je wilt, krijg je met moederdag een cursus van me. Een opvoedcursus! Enne... ze is nog niet helemaal zindelijk, mam! In het boekje staan geweldige tips...'
Bart en zijn moeder stappen na het tweede kopje koffie op. Bart fluistert Noortje in het oor dat ze snel een afspraak moeten maken. Helaas heeft zijn moeder het woordje 'afspraak' gehoord... en trekt haar conclusies.
Terug in de kamer is Gerdien druk in de weer met haar nieuwe camera. 'Straks zet ik een serie op je computer, mam.' De pup krijgt het riempje om en heel de familie is getuige van het eerste plasje dat buiten op het terras wordt gedaan...

De rest van de dag verloopt zoals met de meeste verjaardagen het geval is.
Tegen de avond is Noortje schor van het praten en doen haar voeten pijn in de 'nette' schoenen. Tot een persoonlijk gesprek met een van de kinderen komt het niet. Ze had het ook niet verwacht. Toch zit ze vol zorgelijke vragen. Carmen, die zo vreemd uitgelaten doet. Zich anders dan normaal gedraagt. Zelfs Gerdien heeft ze meer dan eens met gefronste wenkbrauwen naar haar zus zien kijken. Peet is de rots in de branding. Hij weet met iedereen om te gaan, dat is altijd al zo geweest, van kleins af aan staat hij open voor de medemens.
En natuurlijk – hoe kan het anders – staat de vrolijke pup in het middelpunt van de belangstelling. Over een naam moet Noortje nog goed nadenken. Hij moet bij het diertje passen en het liefst een driedubbele betekenis hebben.

De kinderen blijven eten, zelf hoeft de jarige nergens voor te zorgen. Ze mag met de benen languit op de bank bijkomen, terwijl er uit de keuken vrolijke geluiden komen, begeleid door het gekletter van pannen. Wat heeft Willem veel gemist, zo ontzettend veel heeft hij niet gewaardeerd en als oud vuil achter zich gelaten. Het zij zo.
Maar het is geweldig dat hij alles aan zijn ex en de drie kinderen heeft nagelaten. Een beslissing die in zijn laatste uren is genomen. Alleen de boerderij van oom Piet... die hadden ze samen moeten delen. Noortje pinkt een traan weg. Rouwen om Willem? Iedereen die haar kent, denkt dat ze luchtig over zijn dood heen is gestapt. Het vele geld vergoedt toch veel? Niets is minder waar. Ze is altijd van hem blijven houden, trouw als ze is. Liefde op afstand. Een liefde die ze noodgedwongen moest loslaten, ze moest hem gunnen aan een jonge vrouw. Het waren zware jaren die hun tol hebben geëist. Eenzame avonden en nachten. De zorg voor de opgroeiende kinderen. Niet dat ze extreem lastig waren, maar toch... alles kwam op haar alleen neer.
En nu ze volwassen zijn en haar min of meer buiten hun levens houden, is er nóg de zorg. Carmen en de man die nog moet scheiden. Scheiden mag in de wereld de normaalste zaak van de wereld zijn, voor haar is het dat niet. Ze is niet zo hard in haar oordeel als veel van haar kennissen. Ze is toch zelf ook gescheiden... tegen haar wil. Maar toch. Sommigen roepen: 'Als de koek op is, ga je toch op zoek naar een ander?'
Waarop Noortje dan denkt: Geen koek meer? Dan maar samen vasten, krijg je vanzelf weer trek. Onzin natuurlijk, er is geen geval gelijk. Oordeel niet opdat je niet geoordeeld zult worden.
Maar om, zoals Carmen doet, de man van een ander af te troggelen, gaat haar erg ver.
Met de pup op schoot dut ze in, pas als ze nogal luidruchtig gewekt wordt door een dochter met een glas wijn in haar hand, is ze terug in het hier en nu.

Voor het slapen gaan, kuiert Noortje door de donkere straten met de

pup aan de lijn. Deze rukt, staat weer stil, snuift hier en daar met een onvoorstelbare verrukking. Om het volgend moment te trachten er met een sprong vandoor te gaan. En als er een andere hond plus baasje passeert, is de vreugde niet te temmen.
De nacht is onrustig. De pup mist haar moeder en de rest van de familie. Af en toe laat Noortje zich verleiden en sloft naar beneden. Een lief woordje, een knuffel, kalmeren het hondje meteen. Maar nog voor ze een voet op de trap heeft gezet, jammert ze weer deerlijk. Peter heeft bezworen dat het de tweede nacht al beter zal gaan. Uiteindelijk valt de pup van vermoeidheid in slaap en kan Noortje met een zucht en een geeuw haar voorbeeld volgen.

4

Peter krijgt gelijk. Na een paar dagen is de hond gewend en gaat ze tegen half elf zelf al naar haar mandje in de keuken. Noortje praat de hele dag tegen haar. Met als gevolg dat Sterre haar volgt waar ze gaat. Sterre, die naam is het uiteindelijk geworden. Niet zo alledaags, vindt Noortje.

Na haar verjaardag is ze gewoonlijk een paar dagen uit haar ritme. Ze moet de cadeautjes een plaats geven, de meubels terug op hun plaats zetten en de tijd nemen om de verjaardagspost nog eens te bekijken.

Later in de week heeft ze een afspraak staan met Bart. Hij popelt van verlangen om de boerderij met eigen ogen te zien. Noortje vindt het wel grappig een medestander te hebben. Ze heeft de boekjes uit de tweedehands winkel van Daniël Pruisen bestudeerd. Nog steeds twijfelt ze tussen een zorgboerderij of een zogeheten boerencamping. Natuurlijk zullen er de nodige vergunningen moeten komen. Alle mogelijkheden die in haar opkomen, zijn even aantrekkelijk.

Misschien dat Bart haar kan helpen. Eigenlijk rekent ze daar op.

Als het zover is, staat ze op tijd klaar: de bloemetjeslaarzen en de tuinbroek worden ingewijd. Bart heeft een solide wagen, die gewend is op ruw terrein te rijden. Ze weet niet veel van hem af, alleen dat hij inspecteur van een bouwbedrijf is. Zodra hij zijn huis uit komt, haast Noortje zich naar buiten met Sterre in haar armen.

Voor het raam staat moeder De Wolf tevreden toe te kijken. Ze wuift naar Noortje, die met moeite een hand weet vrij te maken om terug te groeten.

'Ma verwacht heel wat van ons tochtje. Ze denkt minstens dat we op de terugweg even langs de juwelier gaan om ringen te kopen!' Hij grijnst van oor tot oor.

Ook Bart rekent op ruw terrein: laarzen in de hand, niet al te schone spijkerbroek aan en een oranje jack. Hij zet een pet op zijn hoofd en

dat maakt hem jonger om te zien. 'Sorry voor de staat van mijn wagen. Modder op de spatborden, evenals in de groeven van de banden en het interieur is al niet veel beter...' Inderdaad. Lege plastic koffiebekertjes liggen op de bodem en achterbank, tussen snippers van pepermuntrollen en onduidelijke verpakkingen. Opeens heeft Noortje een herinnering: Aafke die de wagen aan het poetsen is. Stofzuiger op de stoep, een emmer met sop en niet te vergeten de tuinslang. Ze laat Bart er niet in delen.
'Geeft niet. Mijn wagentje is ook niet het schoonste! Trouwens: wat een heerlijk weer! Zon!'
Bart kijkt grinnikend opzij. Noortje is gelijkmatig van humeur en weet van kleine dingen te genieten. Zodra ze rijden, begint hij over de afgelopen zondag. 'Je hebt trouwens drie geweldige kinderen, Noortje. En ze mogen er stuk voor stuk zijn. Carmen... dat is een schoonheid geworden.'
Noortje denkt erover hem te vragen of hij soms koorts had, die zondag. Want zijn opmerking over Carmen vindt ze overdreven. Carmen mag er zijn. Dat wél. Ze heeft een gulle lach, kuiltjes in haar wangen. Ja, ze is goed geproportioneerd en het donkerblonde haar heeft geen kleurtje uit een flesje of tube nodig. Maar om haar een schoonheid te noemen...
Ongerust opeens, kijkt ze opzij. De glimlach wijkt niet van Barts gezicht. Als ook hij opzij kijkt, knikt hij. 'Ik meen het, buurvrouw!'
Noortje schudt haar hoofd.
'Ze heeft al een relatie en wel één die me zorgen baart, Bart. Ze is smoor op een man die zegt te gaan scheiden. Vader van twee kinderen! Ik houd me er buiten. Wie ben ik? Als ik kritiek lever, neemt ze me dat niet in dank af. Bovendien is ze close met Gerdien. Tweelingen, weet je wel? Helemaal op elkaar afgestemd. Ik gun het ze. Maar zorgen maar ik me wél.'
Daar kan Bart inkomen. 'Wie weet raakt het uit!'
Het eerste stuk van de rit is geen probleem; Bart kent de omgeving op zijn duimpje. Maar zodra ze een dik half uur onderweg zijn, moet

Noortje voor navigator spelen. En als ze roept: 'Bestemming bereikt!' schieten ze gelijk in de lach. 'Goed gedaan!' roemt Bart. Maar dan kijkt hij zorgelijk om zich heen.
'Wat is dat hier voor niemandsland? Mooi, dat wel. Wat ruig. Maar waar is de boerderij? Die daar?'
Noortje schudt verwoed haar hoofd. 'Nee joh... ik zou niet weten wie daar woont. Nogal verwaarloosd... maar nog niet zo erg als die van oom Piet. Kom, dan voer ik je door de weilanden!'
Haar hart bonkt. Als Bart nu maar niet begint te lachen, haar zelfs uitlacht. Probeert haar plannen te torpederen.
Bart verwisselt zijn instappers voor de vuile laarzen. 'Jij weet de weg. Kom op!'
Achter elkaar stappen ze door het hoge gras, dat beslist groener is dan de vorige keer toen Noortje hier was. Ze snuift de frisse lucht op en als de bodem wat vlakker wordt, zet ze Sterre op de grond. Ook Sterre snuift en het liefst zou ze zich losrukken om de omgeving te verkennen zoals alleen een hondje dat kan.
Noortje trekt haar mee, praat ondertussen honderduit tegen Bart. 'Ik heb vorige keer niet eens gemerkt dat het hier een soort enclave is. De boerderijen staan in een bepaalde lijn, zie je dat? Ik geloof niet dat er nog één van in bedrijf is. Maar bewoond zijn ze wel!'
Bart knikt, geeft zijn ogen de kost. Zegt niet wat hij denkt: een dood dorp. Nou ja, dorp... gehucht.
'Daar is het!'
'Wroeff!' roept Sterre protesterend als Noortje abrupt stilstaat, vlak voor een scheefgezakt hek. Barts ogen lijken op de stuiters waar Peter als kleine jongen gek op was. 'Dit? Meisje dan toch... dat is een bouwval!'
Hij tilt het hek op, het geeft moeizaam mee. 'Zei ik toch!' doet Noortje vrolijk. Ze tilt Sterre weer op, stopt haar gezicht in haar vachtje. Zo troostend is de geur van een schone pup.
Bart krijgt haast. Hij loopt als in trance het overwoekerde pad op. Ziet dat het gebouw inderdaad stijl heeft. Had. En de ligging is grandioos.

'De plek is paradijselijk! Dat wel! Je hebt toch een sleutel?'
De rondleiding kan beginnen...

Een uur later zitten ze naast elkaar op het scheefgezakte hek. Noortje kijkt Bart vol verwachting aan. Wat denk je? vragen haar ogen.

Bart schraapt zijn keel. 'Er zijn best mogelijkheden. Maar je moet jezelf niet overschatten. Wat weet je van het boerenleven af? Van koeien melken? om maar wat te roepen. En de rest. De financiële kant bijvoorbeeld... ik ken de grootte van de erfenis niet. Hoef ik ook niet te weten. Maarre... om wat te noemen: een zorgboerderij, daar heb je deskundig personeel voor nodig. Om aan gegadigden voor bewoning te komen, zal niet moeilijk zijn. Stakkers genoeg in de wereld die wat hulp nodig hebben om terug te keren in de maatschappij. Maar de begeleiders vragen een flink salaris. Er moet grondig, let wel: grondig gerenoveerd worden. Waarom overleg je niet met je kinderen?'

Noortje bedwingt met moeite haar tranen. 'Ik wil zelf... ze vinden me sowieso te oud voor wat dan ook. Als je dertig bent, vind je begin vijftig oud. Te oud om wat nieuws te beginnen! Nee... dit doe ik buiten hen om. Het is mijn geld. Míjn boerderij, Bart!'

Bart legt een arm rond haar schouders, alsof hij haar wil troosten. Ze kijkt naar hem op en bedenkt dat hij eigenlijk verre van knap is, maar de charme wint het. De wind speelt met de rossige lokken die nodig onder kappershanden moeten.

'Snap je het een beetje?'

Bart knikt. 'Er zijn natuurlijk mogelijkheden... maar eerst moet je naar de gemeente om het bestemmingsplan in te zien. Ze kunnen zomaar ergens gaan bouwen... een industrieterrein plannen of een rotonde aanleggen!' Noortje moet nu spontaan lachen. Een rotonde in dit niemandsland?

Sterre is het intussen zat om aan de lijn te zitten wachten tot 't het vrouwtje behaagt verder te lopen. Ze rukt met succes aan de riem en schiet er als een kogel vandoor.

Noortje en Bart springen gelijk van het hek af. 'Hier jij!' roept Noortje panisch.
'Puppycursus!' plaagt Bart. Het rode riempje dat Sterre meesleept, schiet af en toe omhoog, boven het gras uit.
'Die zie ik nooit meer terug!' snikt Noortje als ze na een uitputtende run blijft staan, haar handen tegen haar bonkende hart. Bart roept, fluit op zijn vingers. Maar Sterre houdt zich doof. Af en toe klinkt een vrolijk blafje. Speels, uitnodigend. Kom toch, het is hier zo heerlijk! Dan verdwijnt het riempje en er wordt geen blafje meer gehoord. Noortje snikt en wijst op een brede beek. 'Zou ze daarin zijn gegaan? Misschien is ze meegesleurd...'
Bart schatert. 'Met een vaart van hoeveel knopen, denk je? Dat watertje kabbelt hoogstens!' Met zijn hand boven zijn ogen tuurt hij de omgeving af.
Dan klinkt achter hen een stem.
'Zoeken jullie deze viezerik soms?' Een ietwat gebogen figuur met een smoezelige pet op zijn hoofd, komt achter uitbottend struikgewas tevoorschijn.
'Sterre!' roept Noortje en duikt op de man af.
Sterre is te vies om aan te pakken. De man wijst met een duim over zijn schouder. 'Ginds is ze te water geraakt en vervolgens door de bagger gerold.'
Noortje wil Sterre overnemen, maar de man doet een stapje achteruit. 'Ze is zo vies, dame. U zult zich bevuilen, nergens voor nodig. Loop maar met me mee, ik heb water en zeep.' Hij wacht niet op antwoord, maar zet meteen de pas er in.
Er zit niets anders op dan de man te volgen. Zigzag gaat het door het ruige gras, dwars door het struikgewas over een smal paadje. Sterre piept, bijt de man zacht in een oor en gluurt over zijn schouder richting Noortje.
Achter laag geboomte ontdekken ze een klein huisje, dat ooit wit is geweest. Het rieten dak is waarschijnlijk niet waterdicht en de kozijnen zijn verveloos. 'My home is my castle!' lacht de man. Zijn tanden

zijn bruinig, maar de donkere ogen glimmen van plezier.
Hij opent een deur die naar een soort bijkeuken voert. 'Zo, jongedame, hier is water in overvloed. En handdoeken krijg je ook van me. Het water uit de pomp is koud, ik wil wel een keteltje voor je warm maken...'
Ze zien een soort aanrecht met daarop een pomp met een koperen zwengel. Net als in de boerderij van oom Piet, maar dan véél schoner...
Bart neemt het initiatief. Hij neemt de pup over en zet haar op het aanrecht. 'Ze stinkt, Noortje. Modder? Ik denk meer iets van modder mét. Pak die dweil eens van de grond, dan wrijf ik het ergste vuil er eerst af!'
Noortje ontdoet zich moeizaam van haar jack, terwijl ze Sterre vast blijft houden met één hand. De behulpzame man komt terug met een stapeltje oude handdoeken die sleets en hard van het vele wassen zijn. Maar schoon zijn ze wel.
'Hondenshampoo heb ik niet... hi hi! Wel groene zeep en iets voor onder de douche. Kreeg ik voor mijn verjaardag van mijn dochter. Maar de douche is kapot, weet zij veel... Trouwens: mijn naam is Wadee, zeg maar Harm!'
Bart noemt zijn naam en die van Noortje, die alleen oog en oor heeft voor Sterre die piepend protesteert tegen de koude behandeling.
'Wacht nou even, vrouwtje. Ik heb het water warm.'
'Hm?' Noortje kijkt verdwaasd om. Warm water. Natuurlijk, dat zou fijn zijn.
Harm komt aansloffen met een moderne waterkoker waar de damp uitwasemt. Hij giet de inhoud in een groen emaillen afwasbak uit het jaar nul. Vervolgens pompt hij er koud water bij. 'Voel maar es, vrouwtje. Dat is heel wat plezieriger voor dat beest dan een kouwe plons! Ik maak nog een keteltje warm, dan kun je spoelen!'
Bart staat er onbeholpen bij, wil wat doen, maar weet niet wat en hoe. Noortje keuvelt onzin – praat tegen Sterre. Haar stem kalmeert de pup. Die is haar in korte tijd zo vertrouwd geworden.

'Schoon ben je weer... kijk nou toch, er komt prut van je af. Maar straks ruik je naar deftige mensen... Bart, geef eens een doek, dan dep ik het schuim van haar af. Ah... daar is Harm al met vers water...'
Opnieuw wordt een badje gemaakt en zo goed als mogelijk is, spoelt Noortje het schuim van het vachtje. Sterre piept niet meer, maar trilt van top tot teen. Ze weet uit het boek dat Peter haar gaf, dat een hond eigenlijk niet met een product voor mensen gewassen mag worden, vanwege de verschillende pH-waarde. Maar nood breekt wet.
Bart legt een handdoek over het rugje en tilt haar uit het bad. 'Zo is ze schoon genoeg. Gauw drogen, ze heeft het koud!'
De laatste handdoek wordt gebruikt om Sterre in te wikkelen. Harm staat met de handen in de zij toe te kijken.
'Zo beleef je nog es wat. Ik heb een vers kopje thee gezet. Kom toch verder!'
Hij gaat hen voor naar een woonkeuken. Het is er schoon, maar het lijkt wel het decor voor een van de oudste Swiebertjesfilms. Een kokosmat die rafelt, rieten stoelen met verschoten kussentjes.
Bart gaat zitten en zet de ingepakte Sterre op zijn schoot. 'Ben je hier geboren, Harm?'
Dat is hij. En zelden komt hij van 'de stee' af. 'Ze moeten me hier op mijn rug wegdragen... maar het ziet er naar uit dat dit niet gebeurt. Nee, eerder zetten ze me in een kamertje in een oudemensenhuis. Ginds, een paar dorpen verder!'
Noortje leunt achterover. Ze bekijkt de wandversieringen. Een blokkalender met voor iedere dag een stukje uit de Bijbel. Een vergeelde huwelijksfoto. Een jonge Harm met een zo te zien oorlogsbruidje aan zijn arm. Sobere kleding. Bloemen, waarschijnlijk geplukt in de tuin.
'Waarom zou je hier vertrekken als je het hier naar je zin hebt?' vist Bart, terwijl hij een oortje, zacht als zijde, op- en uitrolt. Sterre kreunt van genot.
'Moeten, meneertje. De wet... de gemeente en weet ik wie nog meer!'
Noortje schiet rechtop. Ze is weer bij de les en bedankt met een glimlachje voor de mok thee die voor haar wordt neergezet.

Harm laat zich in een stoel zakken, die kreunt onder zijn gewicht. 'Kijk, vroeger was het hier goed wonen. Mijn ouders boerden. Keuterboertjes, zouden ze tegenwoordig zeggen. Een paar koeien, varkens en wat kippetjes. Een tuintje voor de groenten. Eigen appels en kersen van de bomen. Het heette hier de Zuidmarke. Zomaar een naam, maar die voor de mensen van hier een begrip was. Er veranderde nooit wat...'

Hij snuift en trekt een boerenbonte zakdoek uit zijn broekzak. Als hij snuit, zwellen de aderen op zijn voorhoofd op.

Noortje drinkt van de hete thee. Dat doet goed. Bart en zij wisselen een blik van verstandhouding.

'Dus... als kinderen klepperden we op klompjes naar het dorp. School. Ik praat over dik tachtig jaar terug... hi hi!' Hij slurpt van zijn thee en zegt daarna met zachte stem: 'Dat ik zo oud zou worden, ja, dat wist ik natuurlijk niet. Valt niks mee, mensen. Oud en alleen. Maar een tv heb ik wél. De grootste en de mooiste die te koop was! Blijf je bij... zie je wat er in de wereld gebeurt. Niet veel goeds.

Enfin... de een na de ander hield ermee op. Maar verhuizen deden we niet.

Ginds, daar woont Marie Schuilenburg. Dat was een grietje uit het dorp dat zo nodig met een jonge boer wilde trouwen. Ze moesten, dat was me wat. En ze kregen een dochter, die schooljuffrouw is geworden. Die moet nou zo'n zestig jaar zijn. Ze is met pensioen. De een of andere geheimzinnige ziekte heeft ze. Ze zorgt voor Marie. Tja, er staan hier een stuk of vijf bouwvallen, zoals die van Piet!'

Noortje veert op. Natuurlijk heeft deze Harm Wadee oom Piet gekend!

'Piet? Stil water. Er kwam nooit iemand. En die zoon van hem was niet goed bij zijn hoofd. Waanideeën, beweerde dat hij achterna gezeten werd en zo. Hij werd afgeluisterd via de stopcontacten, plakte ze allemaal dicht. Hoe verzin je het! Nou ja, hij ruste in vrede.'

Noortje stoot uit dat de boerderij haar bezit is. Geërfd, via haar overleden man.

'Ach mens, wat moet je ermee? Heb je de gemeente nog niet op de stoep gehad? De heren met mappen onder de arm, zwaaiend met een pen alsof het een pistooltje is. Niet? Dan komen ze nog wel! Ik wéét van niks, maar er wordt wel gekletst!'
Wat nou, gemeentemannen? 'Ik wíl niet verkopen, Harm. Ik wil hier gaan wonen. Het is hier zo mooi, zo rustig!'
Harm lacht zijn onverzorgd gebit bloot. 'Ach, grietje, dat lukt je niet. Nooit niet. Ze onteigenen ons. En dan wordt alles afgebroken. Wat ze ermee van plan zijn? Tja... daar vechten ze om, de heren projectontwikkelaars. Wat een woord... Die doen niks anders voor de kost dan bekvechten met elkaar. De één wil dit, de ander dat. Het gezeur speelt al drie jaar... en wij zitten in de onrust.'
Bart schraapt zijn keel en mijdt het Noortje aan te zien. 'Er staat dus nog niks vast?'
Noortje papegaait hem na. 'Er staat nog niets vast?'
Harm krabt achter zijn oor. 'Niet da' k weet!'
Voor het raam verschijnt een poes die zich op de vensterbank zet en verlangend naar binnen kijkt. Hij is wit met muisgrijze vlekken.
Sterre schudt de handdoek van zich af en staart naar het verschijnsel kat.
Harm wijst met een hoofdknik naar het dier. 'Daar lopen er hier wel twintig van. Dat fokt maar door. En altijd willen ze gevoerd worden. Ze zijn van niemand...'
En nee, Harm heeft niets op papier staan. 'Maar als je meer wilt weten, dan moet je bij Korpershoek zijn. Die is bekend, weet je dat? Een muzikant die wel eens op de tv komt. Niet dat je hem ziet, maar zijn naam staat aan het eind van een programma. Soms komen zijn vrienden... Dan knalt de muziek hier over de vlakte, het dal in. Ach... het is niet vaak en je moet wat kunnen verdragen van elkaar. Hij wil zijn "keet" isoleren, zegt-ie. Nou, het wachten is op uitsluitsel van de heren in nette pakken. Zonde van het geld als de boel toch wordt afgebroken.'
Bart knikt. 'Ik ken die naam wel. Stefan Korpershoek. Gitarist, en een

verdraaid goeie ook! Hij maakt arrangementen, maar hij had het veel verder kunnen schoppen. Dat moet je willen...'
Harm haalt zijn schouders op en schenkt ongevraagd de mokken nog eens vol. De thee is zwart geworden en Noortje voelt bij voorbaat haar maag al samenkrimpen.
'Er speelt meer. Zijn vrouw is ernstig ziek geweest, hij heeft twee kinderen bij een brand verloren. Ga d'r maar aan staan. Een wonder dat die man nog muziek kan maken!'
Bart haast zich te zeggen dat muziek troosten kan. De kat buiten miauwt. Niet dat het te horen is, maar het bekje gaat open als stelt het een vraag. Noortje denkt aan haar zoon, de dierenarts. Hij heeft wel eens actie gevoerd aangaande het steriliseren van verwilderde katten. Helemaal in zijn eentje. Het mocht niet baten. Ze zal hem tippen over de kattenpopulatie hier ter plaatse!
Bart wordt vertrouwelijk, vertelt over de ziekte en het sterven van zijn vrouw. De oudere man knikt begrijpend. 'En nou heb je een nieuw vrouwtje aan de haak geslagen, jongen?' Hij knipoogt naar Noortje die zo stevig bloost dat haar huid in brand lijkt te staan. Ze haast zich te zeggen dat het zo niet in elkaar steekt, wat de man nu naar Bart doet knipogen.
Bart verandert van onderwerp. 'Dus als we meer willen weten moeten we ons bij Korpershoek vervoegen? De man zal wel niet in het telefoonboek staan?' Harm haalt zijn schouders op. Hij denkt van niet.
'Meestal is hij aan het begin van de week thuis. Je moet het gewoon proberen, man! Maar reken er niet op dat je hier wat van de grond krijgt!'
'We zullen zien!' zegt Noortje als ze gaat staan. 'Het wordt onze tijd, Bart. Zal ik de handdoeken meenemen om te wassen, Harm?'
Niet nodig, vindt Harm. Dat kan-ie zelf ook wel.
Hij loopt met hen mee naar buiten, krabbelt Sterre over het kopje. 'Tot ziens, en hartelijk bedankt, voor de thee en de gelegenheid die we kregen om Sterre te wassen!'

Pas als ze buiten het gehoor van de oude man zijn, beginnen ze te praten.
'Een tegenvaller!' vindt Bart en haalt zijn autosleutels uit zijn zak.
'Een uitdaging!' meent Noortje.
Terwijl Bart zijn laarzen voor zijn schoenen verwisselt, stapt Noortje in de wagen. Ze houdt Sterre zo stevig vast dat deze begint te protesteren.
Tijdens de terugrit zwijgen ze. Beiden overdenken de afgelopen uren. Pas als Bart voor Noortjes deur stopt, zegt ze: 'De Zuidmarke. Te gek toch als de overheid zonder meer kan beslissen over het wel en wee van de mensen en hun huizen!'
Bart kijkt haar medelijdend aan. 'Ach, Noortje! Er kan zoveel wél. Wacht eerst maar eens af wat Korpershoek te vertellen heeft. En denk erom: je gaat er niet alleen op af, ik wil met je mee, al was het alleen om die man eens in levenden lijve te zien!'
Noortje belooft niets. Ze vindt de reactie van haar overbuurman niet bepaald een stimulans om hem te blijven betrekken bij wat betreft haar project.
'Jij bent hartelijk bedankt voor je hulp. Ik ga Sterre wassen met hondenshampoo. En doe je moeder de groeten!'
Ze duikt meteen haar huis in, niet nodig dat Bart meeloopt voor een bakje koffie of een biertje. Ze ziet vanuit een ooghoek dat zijn moeder de deur al opent voordat Bart zichzelf heeft kunnen binnenlaten.
Ze zet de nog vochtige hond op de grond en zegt: 'Wij samen, Sterre! We redden het samen best! We zullen de mensen eens wat laten zien! Desnoods gaan we demonstreren!'

Tweemaal achter elkaar in bad, de pup ondergaat het lijdelijk. Maar nu is er na het ritueel een föhn. En dat is wat nieuws.
Met een droge, schone hond maakt Noortje een korte wandeling. Ze bejubelt haar als er een plas en een behoefte wordt gedaan. Sinds haar verjaardag heeft ze altijd plastic zakjes in haar jaszakken. Met opgetrokken neus ruimt ze daar het hoopje in op. Een voorbijganger knikt

haar bemoedigend toe. 'Deed iedere hondenbezitter dat maar!'
Ze knikt, gelijk heeft-ie. Goed voorbeeld doet goed volgen...
Thuis is ondertussen de koffie doorgelopen. De opwekkende geur komt haar meteen tegemoet als een welkom. 'Jij je brokjes, lieverd, ik koffie met cake.'
Even later zitten ze samen op de bank, koffie binnen handbereik. Een plaid over hen heen, puur om het knusse gevoel dat het geeft toegedekt te zijn. Het was een merkwaardige ervaring, samen met Bart haar geheim te delen. Maar het kan niet en het mag niet: de boerderij van oom Piet zal niet met de grond gelijk gemaakt worden!
Al moet ze er voor gaan demonstreren!
Zeer binnenkort gaat ze naar het gemeentehuis om te informeren naar het officiële bestemmingsplan. En daarna zo snel mogelijk richting hoe-heet-hij-ook-alweer... Korpershoek. Misschien wordt híj in de toekomst medestander!

5

Carmen zit diep in de put. Dieper is bijna niet mogelijk!
Ze heeft haar vrije middag met Joris doorgebracht. Joris Willebeek. Haar grote liefde. Eigenlijk had ze gehoopt op een doorbraak. Ze is het beu om te wachten, alsmaar te wachten tot Joris de knoop doorhakt!
Het had zo'n leuke middag kunnen worden. Lunchen in een restaurant op de Veluwe, een heerlijke wandeling in een ontluikend bos. Romantiek ten top. Maar Joris was zichzelf niet. Aan tafel keek hij telkens schichtig om zich heen. 'Er lopen hier heus geen relaties van je rond, schat!' plaagde ze hem. 'Bovendien, wat is er mis als twee bekenden samen lunchen?'
Hij was stil. En dat terwijl ze hem zoveel heeft te vertellen. Ja, ze heeft een manier gevonden hem te dwingen voor haar te kiezen...
Carmen zit opgerold in haar stoel, ze voelt zich verlaten, alleen. Het liefst zou ze de vrouw van Joris confronteren met de waarheid! En dan te bedenken dat er meer vrouwen zoals zij rondlopen. Ze kan wel een vereniging in het leven roepen. Club van schaduwvrouwen, of zoiets. Natuurlijk heeft ze te doen met de kindertjes van Joris en zijn vrouw. Maar die zijn er toch niet mee gebaat als hun pappa niet meer van mamma houdt, maar elders een grote liefde heeft zitten. Zelf zou ze het wel weten als zij die vrouw was. Ze zou Joris vandaag nog de deur uitzetten. Met al zijn spullen in plastic zakken. Dat lees je toch zo vaak in columns en interviews. En dan komt er nog iets bij: ze begint met de dag met meer tegenzin naar haar werk te gaan. De sfeer is niet meer wat het was.
En alsof ze het afroept, rinkelt op dat moment de telefoon. 'U hebt gesolliciteerd bij onze maatschap. Mij is verzocht een afspraak met u te maken. Schikt dat deze week nog?'
Carmen veert op. Ze haast zich te zeggen dat ze zich wel vrij kan maken.

Ze heeft meer sollicitaties lopen, maar de brief naar de maatschap was ze bijna vergeten. De afspraak is snel gemaakt en zorgt ervoor dat er weer een zonnetje lijkt te schijnen. Maar niet voor lang. Moet ze zeggen zwanger te zijn? Of kan ze zich van de domme houden, eventueel later zeggen dat ze het nog niet wist?
Oh Joris...
Als een getergd dier banjert ze door het huis. Er komt zoveel op haar af! Zwanger... wat zullen de anderen zeggen? Mam, Gerdien, Peter? Zwanger van een getrouwde man. Zeker weten dat mamma er boos om zal zijn. En Gerdien nog meer dan boos. Ze heeft haar bezworen afstand te houden. 'Het is Joris die overspelig is, maar jij bent daar ook schuldig aan, net zo goed als hij. Denk toch aan dat gezinnetje!'
Carmen heeft innig medelijden met zichzelf. Goed, het was niet netjes van haar om het erop aan te laten komen. Er was zelfs opzet in het spel, want Joris wilde niet zover gaan. Hij zei altijd zijn vrouw transparant tussen hen in te zien staan, vooral als hij haar kuste. Ja-wel, ze heeft misbruik van haar charmes gemaakt, hem ordinair verleid. Het voelde niet goed. Hij was en is haar eerste vriend. Hij geloofde dat niet, lachte haar uit. 'Je kunt geen dertig zijn zonder ooit...'
Wat weet hij van de trauma's die zij en Gerdien hebben over het huwelijk, huwelijkstrouw, en liefde tussen twee mensen? Met mam als voorbeeld?
Ze praatte altijd vol liefde over hun vader. Ook al bloedde haar hart. Arme mam. Gerdien heeft wel eens gedacht dat zij beiden te koel waren. 'En ouderwets ook, als je anderen mag geloven. Maar wat ik wil, is liefde, daarna pas de rest. Trouwen, seks en zo.' Dat en zo betekent voor haar zus niets meer en minder dan kinderen en liefde tot de dood scheiding brengt.
Zelf is Carmen er anders over gaan denken sinds ze Joris kent. Ze was zo van plan hem vanmiddag in te lichten. Het kwam er niet van. Er zat hem iets dwars en ze kon er maar niet achter komen wat dat dan wel was.

Nu heeft ze iets om naar uit te kijken! Een sollicitatiegesprek! Wie weet keert alles zich ooit ten goede!

Het gesprek verloopt prima. In een nieuwbouwwijk is een medisch centrum geopend. Een paar artsen werden als eersten aangetrokken. Er is een opticien, een consultatiebureau, een afdeling voor begeleiding van ouderen en men is bezig mensen te zoeken voor de stichting thuishulp, die daar binnenkort gevestigd wordt. Bovendien is men op zoek naar een apotheker met de nodige ervaring. Iemand die goed met mensen kan omgaan, maar ook de nodige vakkennis heeft. En dat heeft Carmen beide. Wat vrij snel geconstateerd wordt door de twee bestuursleden die haar het hemd van het lijf vragen. Echter, het idee dat ze zwanger zou kunnen zijn, blijft onbesproken.
Als ze na het gesprek op straat loopt, kan ze wel huppelen als een klein meisje. Dolgraag wil ze de baan in het nieuwe gebouw! Ja, ze is hard aan verandering toe.
Natuurlijk wil ze het goede nieuws meteen delen met haar zus. Lopend naar haar wagentje grabbelt ze haar mobiel uit haar tas. Ze heeft de baan nog wel niet, maar het voelt zo goed.
Gerdien is blij voor haar en belooft na haar werk langs te komen. 'Met een pizza. Lang kan ik niet blijven, schat, ik heb een belangrijke vergadering. Er gaan bij ons koppen rollen! Erg... maar ik hoor er dit keer nog niet bij. Het gaat moeizaam in de branche!'
Thuis ruimt Carmen de kamer op. Rondslingerende kranten en tijdschriften zijn een doorn in Gerdiens ogen. Ze schudt de bonte kussens die op de bank thuishoren, op tot ze bol staan. Voor het raam gaat ze staan wachten tot ze haar zus de parkeerplaats op ziet draaien. Ze heeft best veel vriendinnen en vrienden, net als Gerdien. Maar voor beiden geldt dat geen van hen kan tippen aan de andere helft van de tweeling.
Wat Peet vaak deed opmerken: 'Ik bungel er maar zo'n beetje bij! Mamma! Ik wil een broertje!'
Gerdien brengt een bos lentebloemen mee. 'Voor jou, met de hoop

dat je de baan krijgt!' De pizza is goed voorzien van mozzarella, tomaatjes en plakjes cervelaatworst. En niet te vergeten: glanzende olijven.
Carmen legt een hand op haar maag, en niet omdat ze zo'n trek heeft. Gerdien heeft ondertussen al borden gepakt en zoekt in de koelkast naar een wijntje. Ze kwebbelt er vrolijk op los. Praat over de komende vergadering, vertelt over de gespannen sfeer en de plannen voor het zomerseizoen die al klaarliggen. 'Ik denk al in herfstkleuren!' lacht ze. Om daarna te roepen: 'Wat heb je? Je gezicht wordt groen!'
Carmen zakt op een keukenkruk neer en zegt dat het alweer gaat. 'Echt, ik heb trek in de pizza. Wat kijk je nou?'
Gerdien zet haar handen in de zij. Haar ondeugende ogen worden spleetjes.
'Lieve zus van me, ik vóél dat je me wat hebt te vertellen! En dat het iets is waar ik niet zo blij mee ben!'
Carmen verstopt haar gezicht in beide handen. Ze huilt geluidloos. 'Hij weet het nog niet... niemand weet het nog!'
Gerdien begrijpt, heeft genoeg aan die paar woorden. 'Jij uilskuiken!' sist ze. 'Hoe kón je zo dom zijn. Je wilt Joris op die manier dwingen, is het niet? Heb je dan geen gevoel voor die ander? Ik heb het idee dat die vrouw helemáál niet van haar man af wil. Je kunt geluk niet bouwen op het ongeluk van een ander!'
Carmen jammert dat Gerdien er niets van begrijpt. Ze weet niet wat liefde is, die enorme aantrekkingskracht die een man kan uitstralen.
Gerdien zegt op harde toon: 'Oh nee, dat weet ik niet? Ik ben geen dertig geworden zonder de nodige ervaringen op dat gebied. Ik vertel je veel, maar niet alles, schat. Maar ik heb een ander karakter dan jij. Niet beter, zeker niet. Anders. Ik weet wanneer ik een stap terug moet doen, terwijl jij doorholt in dezelfde situatie.'
Carmen had niet verwacht dat Gerdien haar zou feliciteren met het nieuws, maar deze reactie komt wel erg hard aan. 'Ger dan toch... laat me niet in de steek!'
Gerdien hurkt bij haar zus neer, neemt haar in beide armen. 'Stil

maar... ik zal er altijd voor je zijn. Dat weet je. Maar doe wat je doen moet: praat met Joris en zoek een oplossing. Nee, ik raad je geen abortus aan. Daar zijn mensen aan kapotgegaan... jij zult je kindje krijgen. Maar of hij er blij mee is, vraag ik me af!'
'Mamma...' snikt Carmen. Gerdien droogt haar tranen met een theedoek.
'Die zal er niet blíj mee zijn. Wel met een baby, zeker weten. Maar niet de maniér waarop ze oma wordt. Raar, mam als oma... Kom op, Carmen. Laten we de pizza delen. Drink jij maar geen wijn! En dan te bedenken dat je het jezelf hebt aangedaan!'
Carmen grinnikt door haar tranen heen. 'Er was echt wel een man voor nodig...'
Gerdien ziet daar de humor niet van in. 'Je kunt altijd op me rekenen. Maar beloof me dat je met Joris praat! Ik geloof nooit dat hij een man is die zich laat dwingen!'
Carmen perst haar lippen op elkaar. Afwachten! Ze weet dat ze macht over hem heeft, maar er zijn van die gedachten die haar soms plagen. Wat als het haar lukt zijn vrouw te worden... ze kent nu als geen ander de trucjes om een man te boeien en los te weken van zijn huwelijk. Wat als er iemand opduikt die dat ook gaat proberen, net zoals zij heeft gedaan?
Joris zal het moeilijk krijgen. Vrienden kunnen afhaken, de mensen uit haar kerkgenootschap wenden zich – misschien – van hen af. Of kiezen partij voor het arme moedertje met de twee kindertjes die dan van een uitkering moet rondkomen.
'Je pizza. Hij is niet te vet, hij komt uit een goeie zaak. Probeer wat te eten. Zal ik thee zetten?'
Gerdien heeft haast, zoals dat vaak het geval is. Voor haar vertrek omarmt ze haar zus. 'Doe kalm aan. Ben je al naar een verloskundige geweest? Zeg het nog maar even niet tegen mam. Ik steun je, dat weet je. Meid, we bellen snel!'
Carmen duwt het restant van de pizza met walging van zich af. Weg ermee, in de vuilnisemmer. Kon ze haar problemen er maar achter-

aan kieperen. Gerdien is een schat, maar begrip heeft ze helaas niet... Dat wil zeggen: geen begrip voor haar problemen. Kon ze er maar met mam over praten, maar dat behoort helaas voorlopig tot de onmogelijkheden!

Gerdien is met haar hoofd niet bij de vergadering. Het is of ze uit twee vrouwen bestaat. De een drijft op de automatische piloot. Ze maakt aantekeningen, praat mee. Maar haar andere helft is met Carmen bezig. Carmen, die zwanger zegt te zijn.

Carmen is van hen beiden altijd degene geweest die zich in de nesten werkte. Van kleins af aan. Zij, Gerdien, gaat liever op zeker.

De hoofdredacteur komt, als mensen al op hun horloges beginnen te kijken, met een nieuw item aanzetten. 'Luister, ik ontmoette onlangs een stel mensen van tegen de tachtig. Een paar krasse kerels, die samen een reisbureau voor ouderen op hebben gezet. Ze gebruikten hun eigen spaarcenten en jawel, het lijkt een succes te zijn. Ik wil dat jullie je ogen en oren open houden in de hoop dat je me nog meer van dat soort ondernemende lieden plus hun story kunt aanbrengen. Ik wil volgend voorjaar een serie starten over ouderen die wat aanpakken na hun pensionering. Ons blad begint interessant te worden voor vijftigers, maar ik wil de oudere garde ook eens in het zonnetje zetten. Kijk eens naar je eigen ouders, misschien grootouders. Praat met ze, probeer er achter te komen of er iets van verlangen in hen leeft!'

Gerdien denkt aan haar moeder. Zij, haar broer en zus zien mam als een jonge bejaarde die vooral niet te veel aan moet halen. Ze vinden dat het tijd wordt dat mam het kalmer aan gaat doen.

Ze krabbelt een bloemetje op de rand van het papier waarop haar notities staan. Ze spreekt haar moeder best vaak. Maar om nu te zeggen dat ze mam kent... leeft er nog iets van verlangen in haar moeder?

Er wordt ondertussen druk geconverseerd. 'Wat', roept iemand, 'als je wel wat wilt, maar krap bij kas zit? Of te ziek bent om iets, wat dan ook, te ondernemen, terwijl er wel het verlangen is?'

'Ook die mensen wil ik aandacht geven. Het is me nog niet geheel duidelijk in wat voor vat ik het wil gieten, denken jullie maar met me mee. We hebben het er de volgende keer over!'
Gerdien wordt soms moe van het enthousiasme dat haar chef aan de dag weet te leggen. Onvermoeibaar is de man. Iemand die duizend dingen tegelijk wil doen.
Agenda's worden op tafel gelegd. 'Niet op donderdag, s.v.p.!' roept een jonge man. 'Dan is het mijn pappadag!'
Gerdien knippert met haar ogen. Ze is bekaf. En trek heeft ze ook, als ze het zich goed herinnert, heeft ze niet veel van de pizza gegeten. Die oerdomme zus van haar ook!
Het duurt zoals gewoonlijk even voordat er een datum vaststaat. Stoelen worden verschoven, pratend en lachend verlaten de collega's de vergaderruimte.
Gerdien is een van de laatsten die naar de lift loopt. Ze wordt ingehaald door Martijn de Bras, een nieuweling in de gelederen. Een Belgische topfotograaf. Ze is, zoals iedereen, gecharmeerd van zijn zuidelijke tongval.
'Jij bent moe, is het niet?' Het heeft even geduurd voordat Martijn het 'u' voor 'jij' ingewisseld heeft. Hij legt een arm om Gerdiens schouders heen, een broederlijk gebaar.
Ze draait zich handig van hem af. 'Is het zo duidelijk?'
Hij nodigt haar uit om ergens wat te gaan drinken. 'Ik weet een leuke kroeg, Gerdien. Het heeft even geduurd voordat ik een stamcafé vond, maar nu voel ik me hier thuis!'
Waarom niet, denkt Gerdien vermoeid. Er wacht niemand op haar. Ze heeft haar vrijheid lief, maar soms... heel soms kan ze verlangen naar iemand die met haar meeleeft, met wie ze zelfs onbelangrijke dingen kan delen.
Straks heeft Carmen een kindje, als alles goed gaat.
Martijn duwt haar de lift in, op het laatste moment, vlak voor de deuren dichtzoeven, wringt zich een collega naar binnen. 'Dat is mij nou nooit gelukt, De Bras! Die Gerdien is een kouwe...'

'Dat ontdek ik zelf wel, amice!' geeft Martijn terug.
Even later lopen ze over straat, het waait stevig, maar toch zit er iets van lente in de lucht. 'De avonden worden al langer!' zegt Gerdien verlangend.
Martijn informeert of ze een hekel heeft aan de donkere winterdagen.
'Dan moet jij het zelf knus maken, madammeke! Kaarsjes, een goed boek, wat lekkers! Of zoals nu, naar de kroeg!'
Gerdien is van huis uit geen kroegenloopster. Ze is dan ook verbaasd over zichzelf dat ze het er gezellig vindt. Mensen begroeten elkaar als oude bekenden, wisselen nieuwtjes of grappen uit.
'Daar, een vrij tafeltje, ga zitten, dan haal ik wat te drinken voor ons!'
De wijn ontspant. En de door Martijn bestelde bittergarnituur smaakt prima.
'Dit is gezellig!' verbaast Gerdien zich.
Martijn bekijkt haar over de rand van zijn bierglas heen. 'Jij praat alsof je nooit in een gelegenheid als deze komt. Zeg op, je bent toch geen nonneke?'
'Misschien wel!' geeft Gerdien terug. Ze vermoedt dat Martijn het niet zo nauw neemt in het leven, gemakkelijk een vrouw versiert om haar al snel weer te laten vallen voor een ander. Maar misschien vergist ze zich schromelijk.
'Zeg op wat jij denkt!'
Nee, dat wil hij niet weten. Maar waarom ook niet?
Gerdien zet haar glas terug op tafel en rijgt een goudkleurige bitterbal aan haar vorkje. 'Ik denk dat jij een versierder bent. Zit ik er naast?'
Martijn wordt rood tot aan zijn haarinplant. 'Jij denkt niet goed over mij en toch ga je mee, de kroeg in? Laat ik dit zeggen: ik heb nog nooit iets gedaan waarvoor ik me moet schamen, madammeke! En met mijn vriendinnen ga ik serieus om. Hoe kom je op zulke boze gedachten over mij?'
Hij wenkt de ober en wijst op het lege glas van Gerdien.
'Misschien ben je te vlot... of heb ik een bepaald idee bij succesvolle

mannen die het gemaakt hebben en aan iedere vinger een meisje kunnen krijgen... Sorry als ik je heb beledigd!'
Martijn kan tegen een stootje, beweert hij. Op verzoek van Gerdien vertelt hij over zijn achtergrond. Nee, geen vriendin. Ook niet in Antwerpen, waar hij vandaan komt. 'Wel een huis vol zussen en een moeder die nogal bemoeizuchtig is. Nee, ik woon al lang op mezelf, maar thuiskomen doe ik regelmatig. Ik heb ginds een studio en als het me hier bevalt, ga ik op zoek naar een soortgelijke locatie in deze contreien. Als je ooit iets voor me weet... ik houd me aanbevolen!'
Martijn, ooit begonnen als schoolfotograaf, heeft lange tijd in zijn onderhoud kunnen voorzien door mensen te portretteren. 'En opeens was ik het zat, al die koppen! Ik wilde wat anders en stortte me op de natuur. Zoals je weet heb ik in die tak van het vak naam gemaakt. Tegenwoordig maak ik eveneens modereportages. En zelfs een opdracht voor de kookpagina sla ik niet af!'
Als hij vraagt naar de achtergrond van Gerdiens bestaan, houdt ze de boot af. 'Simpel, ik woon in een leuke flat, heb veel contact met mijn tweelingzus. Verder is er niet veel wat je zal interesseren. Ik wil het trouwens niet te laat maken!'
Martijn knikt, probeert niet haar over te halen wat langer te blijven. 'Volgende keer beter!' zegt hij berustend.
Gerdien staat al naast haar stoel en knikt. 'Wie weet. Blijf lekker zitten, ik vind de weg naar huis zelf ook wel! Het was... best gezellig. Tot ziens, Martijn!'
Martijn kijkt haar na. Met spijt. Wat heeft hij fout gedaan? Vrouwen... ze blijven voor hem een raadsel. En dat terwijl hij een reeks zussen heeft in de leeftijd van twintig tot dertig jaar...

Gerdien kan geen rust vinden. Ze warmt wat soep op, maakt een tosti met kaas en ham. Haar gedachten cirkelen om Carmen en haar probleem. Hoe diep zou de liefde voor die Joris zitten? Stom om iets te beginnen met een getrouwde vent. Een baby... Gerdien huivert. Ze kan zich Carmen niet als moeder voorstellen. De reacties van hun

moeder en broer zullen fel zijn, om nog maar niet te spreken van de vrienden en bekenden.
De tosti smaakt niet, de soep evenmin.
Natuurlijk – ze had niet anders verwacht – belt Carmen. Of Gerdien al gewend is aan het idee? Zullen ze het samen aan mam vertellen?
'Laat haar er nog maar even buiten! Misschien gaat het nog mis. Dat hoor je toch wel vaker? De meeste mensen wachten tot de zwangerschap drie maanden is voor ze het vertellen. Meid, waar ben je aan begonnen!'
Carmen zit niet te wachten op nog meer kritiek. Ze verbreekt de verbinding eerder dan normaal het geval is. Ze voelt zich door haar tweelingzus in de steek gelaten. Met het gevolg dat ze zich bitter alleen voelt! Bijna komt ze in de verleiding haar moeder te bellen, een poging om van die kant troost te krijgen. Net op tijd bedenkt ze zich. Mam zal niet alleen woest zijn, maar haar ook de les lezen. Alsof ze zelf nooit een fout heeft gemaakt! Een fout? Carmen weigert de vrucht in haar schoot 'een fout' te noemen. Ze wil dit kindje dolgraag. En ze zal ervoor zorgen dat de aanstaande vader net zo blij met de baby is dan ze zelf is!

6

Noortje slaapt die nacht bepaald niet goed. Ze is boos op Bart. Ze hoopte zo dat ze een medestander in hem had gevonden! Nijdig rukt ze de slaapkamergordijnen vaneen en blikt wraakgierig richting overburen. Ach wat, ze heeft die Bart helemaal niet nodig. Dat rechtlijnige denken van hem staat haar tegen. Jammer, maar ze betrekt hem niet nogmaals in haar plannen.
Ze doet Sterre de riem om en besluit een stevige wandeling te maken. Bewust kiest ze de richting die niet langs het huis van Bart voert.
De frisse lucht doet haar goed, Sterre geniet als ze los mag op een plek waar een verwilderd park door vele hondenliefhebbers gebruikt wordt. Al snel dartelen enkele honden over het nog ongemaaide gras. Het is grappig hoe snel de baasjes en bazinnetjes een gesprekje aangaan. Noortje geniet ervan. Evenals Sterre.
Bij thuiskomst is ze heel wat rustiger en in staat plannen voor de nieuwe dag te maken.
Ze heeft een doel.
Marie Schuilenburg en haar bejaarde moeder, die beiden staan op het programma.
Noortje zet water voor thee op, vult de elektrische eierkoker en prikt in vier eitjes een gaatje. Eén eitje bij het ontbijt, de andere drie komen later ongetwijfeld van pas. Het gaat allemaal automatisch. Onderdeel van haar dagelijkse ritme.
Met een doekje veegt ze over het vrolijk bedrukte kleedje van plastic dat op de keukentafel ligt. Bordje, grote mok, eierdop plus lepeltje. En niet te vergeten het zout. Papieren servetten staan binnen handbereik in een houdertje.
Sterre drentelt ongedurig om haar heen. Drinkt een paar slokken uit haar bak, loopt vervolgens met een lekkende snuit naar de deur. Noortje moppert: 'Je bent er al uit geweest. Heb je alweer hoge nood?' Ze loopt achter het hondje aan de tuin in, snuift met welbehagen haar

longen vol frisse lucht. Achter in de tuin, verscholen tussen struiken, vechten een paar narcissen zich naar het licht. Noortje bukt zich en plukt een boeketje bij elkaar. Vanuit de keuken komt een zoemtoon: de eitjes zijn gaar. Sterre heeft niet veel zin het vrouwtje te volgen, ze rolt op haar ruggetje over het gras.

Noortje pakt een hoog glas uit de kast en zet de narcissen erin. Een extraatje op de ontbijttafel! De zon baant zich een weg door het raam van de keukendeur. Even blijft ze, met de inmiddels gevulde theepot, staan kijken. Zie nou toch, is het geen plaatje? Dat, dát is geluk. Een zonnestraal die je ontbijt verlicht. Het hebben van trek – het woord honger hoort in andere gebieden op de wereld thuis – is ook een zegen. Ze weet vanuit haar vrijwilligerswerk dat velen dat niet meer hebben. Vanwege hun ziekzijn, en soms is er een psychische reden.

Het alleen zijn is ze gewend en het voelt ook niet alsof ze wat mist. Iemand mist. Niet meer. Vroeger wel...

Sterre komt binnen met een stuk van een tak en gaat er zielstevreden mee onder de keukentafel liggen.

Noortje gaat zitten en vouwt haar handen. Zelfs al is het maar voor twee boterhammetjes, ze bidt niet uit gewoonte. Nee, Noortje is van binnenuit diep gelovig.

Ze geniet van haar eitje, haar warme boterham waar de roomboter op smelt. De thee is geurig, ze drinkt elke ochtend het theepotje bijna leeg.

Ondertussen babbelt ze tegen de kauwende Sterre. 'We gaan er zo meteen op uit, meisje. Jij mag straks lekker rennen, maar... als je weer in de sloot duikt, mag je voorlopig niet meer mee!'

Sterre is moe van het kauwen en legt haar kopje op de voeten van haar vrouwtje. Ze zucht diep, alsof ze het zwaar te verduren heeft gehad.

Ondertussen glijden Noortjes gedachten naar haar drie kinderen, zoals zo vaak. Peter, die gelukkig is in zijn werk. En de beide meiden... Natuurlijk maakt ze zich zorgen om Carmen. Kon ze haar dochter er maar van overtuigen dat het dom is een relatie aan te gaan met een man die niet vrij is. Maar... dat is verstandelijk geredeneerd.

Wie weet komt het kind nog op tijd tot inzicht!
Ze heeft er altijd al moeite mee gehad om haar kinderen los te laten. Ook al roept ze doorgaans heel hard: 'Ik houd mijn kinderen niet vast... zodra ze het huis uitgingen, heb ik mijn best gedaan ze los te laten!' Wel, ze weet diep vanbinnen dat dit niet het geval is.
'Tijd om te gaan, Sterre, mijn hartje.' Bezig zijn is dé remedie tegen gepieker. Alleen moet je dat wel kunnen opbrengen. Je kunt moeilijk alle uren van de dag aan het poetsen slaan.
De ontbijtboel is net zo snel opgeruimd als klaargezet. Het gebruikte servies zet Noortje netjes in de vaatwasser. Ze heeft dat ding nu eenmaal, dus gebruikt ze hem ook. Ook al is het soms maar eens in de drie dagen.
Neuriënd loopt ze naar boven om zich voor het bezoek te kleden. Een schone spijkerbroek is geen luxe; Sterre is tijdens de wandeling meer dan eens tegen haar opgesprongen met alle gevolgen van dien.
Een schone broek, een dunne trui van katoen. Lavendelkleurig. Volgens Gerdien is dat háár kleur. Wacht, ze heeft nog een bijpassend sjaaltje.
Zelfs de oogschaduw die ze heel matig gebruikt, kleurt er precies bij. Rouge heeft ze niet nodig, ze heeft van nature een fris gezicht. Maar een vleugje lippenstift dóet toch iets.
Sterre is meegehuppeld naar boven en heeft het zich op het onopgemaakte bed gemakkelijk gemaakt. 'Weg jij, ik wil vanavond in een opgemaakt bed stappen!' Mokkend – zo lijkt het althans – trekt Sterre zich terug onder de toilettafel. Van daaruit kijkt ze toe hoe haar vrouwtje het hoofdkussen opschudt en het dekbed glad trekt. Koppie schuin, zo van: 'Mag ik er nu weer op?'
Noortje vist uit de kast een dun jasje. Het is al jaren oud, maar ze draagt het weinig, met het gevolg dat het nog als nieuw lijkt. Een ontwerp dat tijdloos is.
'Kom op, Sterre-meisje! We gaan ervandoor!'
De zon straalt, de lucht is helderblauw op een paar schapenwolkjes na. Op naar Marie en haar dochter!

Bij het zo op het oog te zien ongezellige huis van Marie Schuilenburg ontbreekt naast de deur een bel, lastig is dat. Noortje maakt van haar rechterhand een vuist en klopt op de saaie deur. Misschien moet ze achterom lopen?
Aarzelend kijkt ze naar rechts en links.
Dan, onverwacht, gaat de deur open. Krakend, als in een protest. Niet verder dan een grote kier. 'Moet u hier zijn? We kopen niet aan de deur en aan collectes doen we niet... Dus...'
Noortje ziet een onverzorgd vrouwengezicht en een sliert slordig haar dat langs het hoofd valt. 'Ik verkoop niets en een collectebus heb ik ook niet. Mijn naam is Noortje van Duinkerken... ik ben familie van Piet... van die gindse boerderij...'
Het slordige hoofd trekt zich iets terug. 'Loopt u maar achterom, mevrouw. Deze deur zit klem, die kan niet meer open!'
Dus toch achterom. Noortje haast zich te knikken. Het is hier wel een buurtje van onbewoonbaar verklaarde woningen. Bah nee, zo wil ze niet denken! Positief blijven!
Ze ploegt door de dikke grindlaag. Het is maar goed dat ze stevige, platte schoenen draagt.
Rondom het achterhuis is het verrassend schoon. Een helder geschrobd plaatsje zonder rommel. Een waslijn waar de was strak is opgehangen en lichtjes beweegt in de lentewind die over het verwaarloosde land komt drijven.
De keukendeur is voorzien van een nogal zware hordeur, waarvan het gaas bol staat. Achter de hor staat de vrouw met het slonzige haar.
'Wie zei u dat u was? Familie van Piet? Hm, komt u dan maar binnen. Ik wist niet dat hij familie had... hij is toch al lang geleden overleden?'
Noortje stapt over de nogal hoge drempel en klemt, als om steun zoekend, haar tas stijf onder haar arm. 'Ja ja... dat is een lang verhaal!' Ze steekt een hand uit, die aarzelend door de vrouw wordt geschud. Dit zal de dochter zijn. Gekleed in een joggingpak, gympen zonder veters aan de voeten.
'Ik ben Annette Schuilenburg. Komt u verder. Mijn moeder is hart-

patiënt en kan niet veel hebben. Ik weet niet wat u komt doen, maar houdt u er alstublieft rekening mee!'
Moeder Marie ligt op een divan, kijkt wantrouwend naar de bezoekster.
Noortje loopt op de vrouw toe en steekt een hand uit. 'Dag mevrouw. U bent dus Marie Schuilenburg... voormalig onderwijzeres, als ik goed ben ingelicht?'
Marie snuift en lacht. Ze heeft geen tanden meer in haar mond. Waarschijnlijk rust het kunstgebit in een glaasje, denkt Noortje. Ook deze vrouw is een toonbeeld van onverschilligheid wat betreft haar uiterlijk. Slordig haar dat om het hoofd zwiert. Een verschoven knotje waar de haarspelden uitsteken. Ze heeft prachtige ogen, ziet Noortje. Ogen die fonkelen als van een jonge meid.
Noortje vervolgt: 'Ik ben aangetrouwde familie. Mijn man, die is overleden, erfde de boerderij van zijn oom Pieter. En via hem ben ik eigenaresse geworden.'
De tandeloze mond schenkt haar een gulle glimlach. 'En met die erfenis was u vanzelf dolgelukkig! Ik zeg u: het is een last, zo'n erfenis!' En in één adem erachteraan: 'Schiet eens op, Annette, mevrouw wil vast wel een bakje koffie. Of niet soms?'
Annette is al weg.
Vanuit de keuken klinkt gerommel van aardewerk, een kraan suist en doet een leiding hoorbaar trillen.
Terwijl Annette met de koffie bezig is, steekt moeder de loftrompet over haar dochter. Ze heeft zo geboft met zo'n kind als hun Annette. 'Behulpzaam. Ze zal me nooit in de steek laten. We hebben het zo goed, samen! Twee vriendinnen, echt waar. Niks geen moeder-en-dochtergedoe. Ze heeft hier net zoveel te vertellen als ikzelf!'
Dat laatste betwijfelt Noortje ten sterkste. Moeder commandeert op subtiele wijze en Annette leest iedere wens van haar moeders tandeloze mond.
'Koffie. Zwart... of wilt u er iets in?' aarzelt Annette.
'Ik hoor een hond blaffen. Hebt u er soms één in de auto? Zo niet dan

is er vreemd volk in de buurt. Ga eens poolshoogte nemen, Annette!'
Annette staat al, rept zich naar het voorraam en schuift de vitrage iets opzij. Noortje haast zich te zeggen dat het Sterre is die blaft.
Gerustgesteld gaat Annette weer zitten, houdt ondertussen geen oog van Marie af. Noortje denkt: Ze lijkt meer op een slavin dan op een dochter. Zou Annette ooit aan een eigen leven gedacht hebben?
Ongevraagd begint Marie te vertellen over haar leven als schooljuffrouw en later als boerin. En ja, Annette is ook in het onderwijs werkzaam geweest.
Ongevraagd geeft Marie haar mening over de hedendaagse jeugd, de kerk en 'het verval'.
Noortje hoort Sterre blaffen en vraagt zich af of het dier uit de verte aanvoelt dat haar vrouwtje het benauwd heeft.
Met deze vrouwen is niet te praten. 'Ik stap maar eens op. Goed u beiden ontmoet te hebben. We worden per slot van rekening buren, is het niet?'
De mond zonder tanden grijnst haar aan. Opeens verheft Marie zich, werkt zich omhoog en slaat het dek opzij. 'Laat me niet lachen. Het is hier allemaal zó bekeken, hoor. De gemeente doet toch wat ze zelf wil.'
Annet duikt op haar moeder af. Steekt beide handen uit als moet ze Marie ergens van redden. 'Toe nou, mamaatje... blijf nou lekker zitten. Denk om je hart!' Maar Marie luistert niet. Ze kreunt, steunt met beide handen op tafel en opeens staat ze. Ze is nog dikker van lijf en leden dan Noortje vreesde.
Marie schudt haar hoofd. Haar knoetje raakt nog verder los en de spelden vallen geruisloos op de grond. Noortje kijkt verbaasd naar het staartje dat zich op de rug van de vrouw ontrolt.
'Ik heb hier wat foto's waar die oom van je ook op staat. Plus de boerderij toen-ie nog in goede staat was. Je mag de kiekjes hebben. Annette geeft toch niks om die ouwe troep.'
Noortje krijgt een leren mapje in de handen geduwd. Ze kijkt vluchtig naar de inhoud. Inderdaad, een prachtige boerderij met een trot-

se eigenaar ervoor, naast een paard en wagen.
'Dat is erg aardig van u. Ik wil ze wel kopiëren... dan krijgt u ze terug!'
Annette ondersteunt haar moeder als ze terug wil keren naar de divan.
Kreunend zakt de vrouw achterover in de kussens.
'Ik heb met u te doen!' hijgt Marie. 'Die boerderij gaat er het eerst aan, dat zul je zien. Zet uw eventuele plannetjes maar gauw uit het hoofd! Enne... Annette en ik hebben niet graag bezoek. Dus...'
Noortje trekt haastig haar conclusies en neemt zich voor hier, in dit huis, nooit meer een voet over de drempel te zetten. Ze knikt.
'Bedankt voor de koffie en natuurlijk de foto's. Blijf gerust hier, Annette, ik kom er wel uit!'
Annette schudt haar hoofd. Ze loopt met Noortje mee naar de achterdeur die ze wijd opent. Met een gebaar van: gelukkig, die zijn we kwijt!
Heel even haken Noortjes ogen zich vast aan de vrouw die nooit een eigen leven heeft gehad. Afhankelijk van de moeder is en daar nog dankbaar voor schijnt te zijn ook. Is het liefde die hen bindt? Of een soort symbiose? Annette is het voorbeeld van een vrouw die nooit volwassen is geworden. Intelligent genoeg, maar de emotionele leeftijd van een tienjarige. Ze heeft niet door dat ze gebruikt wordt.
Opeens ervaart ze een diep gevoel van medelijden. Ze geeft Annette een hand. 'We zien elkaar vast nog wel eens. En als er ooit iets met uw moeder mocht zijn... ik doe vrijwilligerswerk... ik weet genoeg adressen van hulpverlenende instanties die zouden kunnen helpen.'
Annette schudt haar hoofd. 'Ik ben heel goed in staat mijn moeder te verzorgen. Ze is een schat van een vrouw. Echt waar. En zo wijs...'
Noortje knikt.
Ze vlucht bijna van het huis weg. Eenmaal in haar auto wordt ze stormachtig door Sterre begroet op de Sterre-manier.
Tranen kriebelen achter haar oogleden. Waarom dan toch? Die twee zijn niet ongelukkig, ze willen geen hulp van buitenaf. Medelijden hebben ze niet nodig, vinden ze. Ze hebben juist kritiek op de mede-

mens, dat doet echt pijn. Ze start de motor, wetend dat de muizige Annette haar vanachter de vitrage gadeslaat en aan Marie verslag doet.

Waar nu heen? Naar huis? Noortje schudt haar hoofd. Na het onbevredigende bezoek van daarnet wil ze iets doen wat meer positief is. Aarzelend kijkt ze naar het huis van Wadee, dat ook al niet lokt. Een wandeling, dat kan altijd. In de natuur komt ze meestal snel weer in balans.
Maar wacht: er is ook nog de gitarist. Korpershoek. Ze rijdt de auto tot vlak bij zijn oprit. Wat is heel de omgeving toch verwaarloosd. Ook het erf van deze woning is om te huilen. Ongesnoeide bomen en struiken. Overwoekerde paden. Een schuur die op het punt van instorten staat.
Maar... uit het woongedeelte van de boerderij komt muziek. Noortje draait het raampje van haar wagen omlaag en luistert. Alsof er een orkest aan het oefenen is. Sterre gromt zachtjes achter haar hoofd, drukt een natte neus tegen haar hals. 'Ja, ik hoor het wel, schoffie. Muziek. Ik ga poolshoogte nemen. Mensen die zulke muziek maken, kunnen niet negatief zijn!'
Opnieuw stapt ze uit, hangt de riem van haar tas over haar schouder en stapt weg van de auto. 'Wroef!' roept Sterre en komt haar achterna door het geopende raampje.
Een glimlach kriebelt om Noortjes mond. Wat goed van Peter dat hij haar dit leuke dier heeft gegeven.
Hoe dichter ze de woning nadert, hoe luider en doordringender het geluid. Zware bassen, een neurotisch ritme op een drumstel. Dan, onverwacht, valt er een korte stilte. Een pauze; het volgende moment klinkt een simpele melodie, pianomuziek. Noortje, die zelf piano speelt, luistert geboeid. En jawel, een gitaar valt in. De piano zwijgt, de gitaarsolo bezorgt Noortje rillingen. Ze wordt gegrepen door de in elkaar vloeiende klanken. Ongetwijfeld luistert ze naar het spel van Korpershoek.

Ze sluipt naar een raam dat op een kier open staat. 'Sst, Sterre, stil zijn!'
Sterres oogjes glanzen. De stem van het vrouwtje klink zo veelbelovend! Alsof er iets fijns gaat gebeuren! Haar staartje zwiept heen en weer.
Noortje is zo vrij om door het nogal vuile raam te kijken. Ze wil niet storen, maar iets in haar dwingt haar verder te gaan dan luisteren.
Nu ze nog dichter bij is, hoort ze de man zacht mee neuriën. Ze is zijn voornaam vergeten, Wadee heeft hem wel genoemd. Iets met een F, herinnert ze zich.
Het kan niet uitblijven: Sterre eist haar volle aandacht. Ze springt tegen Noortje op, kijkt net zo nieuwsgierig als het vrouwtje door het geopende venster.
Het liefst zou Noortje wegduiken, tot onder de rand van de vensterbank. Sterre zet het op een blaffen. Het is een dwingend blaffen, jazeker, ze heeft blafjes in alle toonaarden...
Korpershoek wendt zich naar het raam, terwijl zijn vingers de snaren blijven bewerken. Maar zijn stem zwijgt.
Noortje opent haar mond, klaar voor een excuus.
'Wie hebben we daar? Aan de deur wordt niet gekocht!' het klinkt als een grapje, zo is het ook bedoeld. 'Ik heb wel een bel, hoor! Ook al klingelt-ie zelden! Ik zou zeggen: de deur is opzij van het huis!'
Noortje bedenkt zich geen moment. Dit is wel een heel andere ontvangst dan bij Marie Schuilenburg en dochter.
Sterre danst om haar heen, hapt naar haar hand. Noortje grijpt haar bij de halsband en gespt de riem vast. Voor de zekerheid. Je weet maar nooit wat voor fratsen Sterre in haar kopje heeft.
De deur laat zich vlot openduwen. Het geluid van de muziek leidt haar als vanzelf de goede kant op. De lange gang is schaars gemeubileerd. Er is een kapstok waar slechts één jack aan hangt. Op de grond ligt een paraplu.
Ze klopt op de deur, waarop Korpershoek begint te zingen:

'Tadataaa... kom maar binnen met je knecht... we zitten yeh yeh yeh... helemaal recht!'
Sterre duwt met haar neusje de deur verder open en trekt zo hard aan de riem dat Noortje met een vaartje over de drempel schiet.
'Sorry...' begint ze.
Korpershoek zwaait met een hand. 'Niks geen sorry, want dat meen je niet. Slechte gewoonte van mensen om zich onnodig te verontschuldigen! Zeg niet dat je auditie komt doen!'
Hij gaat staan, Noortje schrikt van zijn lengte. Een imposante figuur, is het eerste wat haar te binnen schiet. Een charmante man, een vijftiger, schat ze. Gebruind gelaat, alsof hij naar zuidelijke oorden is geweest. Het haar is wit, waarschijnlijk was het ooit donker. Misschien wel zwart. En dan die ogen: doordringend. Hij neemt haar op, van top tot teen.
Noortje weet dat ze rood wordt. Ze voelt zich een indringster, maar bovendien lijkt het alsof ze niet ouder dan twaalf is. En onder de indruk van een aantrekkelijke man. Ze kan zich niet heugen ooit door iemands uiterlijk van de kaart te zijn geraakt. En dat is nu – bijna – het geval. Puur een chemische kwestie, denkt ze.
Korpershoek zet zijn gitaar op een standaard en frutselt wat aan een elektronisch apparaat. Heel even schiet het volume zo hard de kamer in, dat Noortje onwillekeurig naar haar hoofd grijpt. Sterre deinst achteruit en keft nerveus.
'Vertel het maar. Heb je soms een dochtertje dat een handtekening wil? Of kaartjes voor een concert?'
Noortje schudt verwoed haar hoofd. 'Ik ben Noortje van Duinkerken en ik hoop uw nieuwe buurvrouw te worden. Gindse leegstaande boerderij heb ik geërfd...'
Ze doet een stap in zijn richting en steekt een hand uit. Even is het of Korpershoek aarzelt, dan pakt hij haar hand in de zijne. Noortjes smalle vingers verdwijnen in de grote knuist. 'Stefan Korpershoek. Noortje dus! Heb ik eindelijk een bondgenoot gevonden in mijn strijd tegen de gemeente?' Hij houdt haar hand te lang vast, de vin-

gers van Noortje friemelen als een fladderend vogeltje.
'Ik hoop het!' lacht ze nerveus.
Stefan Korpershoek laat haar hand eindelijk los. 'Welkom. Zeg me niet dat je al bij Wadee en Marie bent geweest? Ha ha!' Hij ziet aan haar ogen dat dit wel het geval is. 'Dat is interessant. Kom, dan zet ik koffie voor ons. Je ziet eruit alsof je daar wel zin in hebt! Ik ben ronduit nieuwsgierig naar je. Ze zeggen dat nieuwsgierigheid een onhebbelijkheid van vrouwen is... hm. Betwijfel ik!'
Hij pakt haar arm en voert haar door de grote ruimte waar behalve een vleugel verscheidene muziekinstrumenten staan, richting deur. 'We hebben elkaar vast veel te vertellen!' zegt hij plagend en duwt Noortje de keuken in. Ze blijft verrast staan. Zo te zien is de keuken nieuw, alles is keurig schoon, buiten een gootsteenbak om met vuile vaat. 'Ga zitten, Noortje. Het was toch Noortje? Juist.'
Noortje pakt een stoel die bij een tafel staat waarop een kleedje en een bos slap hangende tulpen.
'Ik krijg niet vaak bezoek. Buiten de jongens van de band om dan. Zo wil ik het houden. Voel je niet afgewezen, voor een aanstaande buurvrouw maak ik graag een uitzondering!'
In een hoek staat een wasmachine te zoemen. Door het ronde raampje is te zien dat een witte was driftig en schuimend in behandeling is genomen. 'En laat die hond toch los. Hij kan hier geen kwaad. Kom op, kerel, dan krijg je een bakkie water!'
Noortje propt de riem in haar jaszak. 'Het is een meisje. Sterre. Geen kerel en ik denk wel dat ze dorst heeft.'
Slobberend drinkt Sterre water uit een rood emaillen bakje, dat al aardig begint te roesten.
'Jij gaat dus wonen in de boerderij van Piet. Niet dat ik de man heb gekend, ik ken zijn naam van horen zeggen. Hoe kon jij die nou erven?'
Koffiegeur streelt Noortjes reukorgaan. Ze haalt diep adem, klaar om haar verhaal te vertellen. De koffie is nog niet helemaal doorgelopen, toch schenkt Stefan de twee klaargezette kopjes op bijbehorende

schoteltjes vol, pakt een koektrommel en zet die voor Noortje neer. 'Tast toe.'
Hij draait een stoel om en gaat zitten, de armen op de rugleuning. Zijn donkere ogen priemen in die van Noortje. Ze vraagt zich af of de man wel beseft dat hij een bepaalde indruk wekt, alleen al door zijn uiterlijk.
Ja, hij weet het heel goed, begrijpt ze opeens. Hij maakt er zelfs misbruik van. Hij ziet er niet uit als iemand die zijn gezin door brand is verloren.
Ze dwingt zichzelf tot kalmte. Diep ademhalen, je niet door een uiterlijk laten inpakken.
'Het is een lang verhaal. Wat wil je horen: de lange of de korte versie?'
Stefan houdt geen oog van haar af. 'Wat je maar kwijt wilt.'
Wat ze kwijt wil.
'Nou... het begon lang geleden. In de zandbak. Ik was drie, misschien vier.'
Stefan kijkt spottend. Neemt een slok koffie en pakt zonder te kijken een groot stuk speculaas uit de trommel. 'Maar dát is lang geleden...' Zijn stem klinkt plagend.
'Nou ja..' zegt Noortje. Ze voelt zich op slag oud. Net als wanneer haar dochters roepen: 'Daar ben je echt te oud voor, mam!'
Stefan ziet de wisselende gelaatsuitdrukking van zijn gast en grijnst. 'Je voelt je aangesproken? Sorry dan. Je mag dankbaar zijn dát je ouder wordt, er de kans voor krijgt!' Hij neemt een ferme slok uit zijn kopje en Noortje bedenkt dat hij nu vast en zeker aan zijn gezin denkt.
Hakkelend vervolgt ze haar story. Af en toe neemt ze een slokje uit haar kopje, haar keel is op het moment wel erg snel droog.
Ze lijkt wel een verliefde tiener.
Maar hoe verder haar verhaal vordert, hoe meer belangstelling Stefan aan de dag legt. En als Noortje besluit met het verslag van haar bezoek aan Harm Wadee en aan de dames Schuilenburg, zit Stefan te knikken.

'Je hebt me niet alleen een boeiend verhaal verteld, Noortje. Maar besef je dat je gelijk een stuk van je ziel hebt blootgelegd? Ik heb het gevoel of ik je jaren ken. Grappig is dat. Kom, ik schenk je nog een bakje in. En neem gerust van die speculaaskoek!'
Sterre ligt te snurken op Noortjes voeten. Een warm kruikje.
'Ik ben verontrust door wat Wadee vertelde. Over de gemeente en zo. Als je dit gebied met vreemde ogen bekijkt, wat ik allang niet meer kan en doe, dan begrijp ik best dat de overheid er iets mee wil. Wat betekenen nu een paar vervallen boerderijen voor hen? Weet je... ik had me zo verheugd op de boerderij van oom Piet. Ik barst van de ideeën...'
Ze somt er een paar op, merkt niet dat er een zachte blik in de ogen van haar gastheer komt. Hij knikt haar warm toe.
'Geweldig!' zegt hij als ze stilvalt. 'Een mens met plannen en ideeën. Dat is zo'n gezond teken!'
Zwijgend drinken ze hun tweede kopje leeg. Dan schraapt Stefan zijn keel, begint zacht te neuriën, kijkt peinzend naar het plafond alsof hij daar inspiratie voor de volgende zin uit kan halen.
'Er ligt nog niets vast, Noortje. Als wij, jij en ik, met een goed doordacht plan komen waar de gemeenschap wat aan heeft, is er best een kans, een kleine, ik geef het toe, dat er geluisterd wordt. Ikzelf wil hier de studio uitbouwen. Jongelui die weinig tot geen kansen hebben verder te komen in de muziek, helpen zich te ontwikkelen. Nederland barst van het talent. Wist je dat? En zie hoe weinig er aan de bak komen.
Ik denk aan musicals. Om je de waarheid te zeggen, ben ik met wat lui bezig de mogelijkheden op een rijtje te zetten. Je moet uiteindelijk een keus maken. Ik kies voor licht klassiek, voor gospel. Instrumentaal, maar ook denk ik aan koren. Er moeten kansen komen voor mensen die belangstelling voor het arrangeren van muziek hebben.
Ik heb de locatie...' Hij maakt met zijn vingers bewegingen in de lucht die aanhalingstekens moeten uitbeelden. 'Ook ben ik geschikt voor het lesgeven. Ja, ik ben kritisch. Het beste is vaak nog niet goed genoeg.

Het klinkt jou misschien wat vaag in de oren... toch neemt het in mijn hoofd langzaam vorm aan. Waar ik me nu mee bezighou, het opnemen van oude muziek in een nieuw jasje. Ken je James Last nog? Hoe die klassieke muziek aantrekkelijk maakte voor een jonge generatie? André Rieu? Helmut Lotti? En er zijn er meer die dat doen. Of jou dat wat zegt, weet ik niet... Er is veel muziek te krijgen... je kunt het downloaden, om maar wat te noemen. Ik wil iets nieuws, iets met klassieke muziek en vergeten christelijke liederen. Tja... de gemeente. Als jij nu ook met een plan komt, Noortje, dan bestormen we samen het college van B en W!'

Noortje heeft het er warm van gekregen. 'Maar ik heb zovéél plannen. Ik heb echt nog geen vastomlijnd idee... soms denk ik dat ik mijn zoon Peter moet inschakelen. Hij is dierenarts en wil dolgraag een kliniek openen. Om maar wat te noemen. Maar ook zie ik wel wat in een opvang voor vrouwen die op een bepaalde leeftijd zijn gekomen en zich uitgerangeerd voelen... kinderen het huis uit. Misschien zijn ze weduwe, zoals ik. Of gescheiden. Weinig inkomsten, eenzaamheid... Ik zou een groep kunnen huisvesten, zodat ze samen als in een commune er wat van maken. Of... zulk soort vrouwen een vakantie aanbieden. Geen vást onderkomen dus. Een zorgboerderij in de breedste zin!'

Noortje heeft er geen idee van dat de opwinding haar bijna mooi maakt. Ze straalt van binnenuit. Haar wangen zijn rozig, de ogen glanzen.

'Het is zo heerlijk om iets te creëren. Toch? Oh, als mijn kinderen eens wisten waar ik mee bezig ben... ze vinden me een bejaarde moeke. En ik ben nog niet eens zestig!'

Kalm zegt Stefan: 'En dan te bedenken dat je wel honderd kunt worden. Ik zeg: kúnt.'

Noortje bloost nu zo hevig dat de tranen ervan in haar ogen springen. Ze kijkt naar beneden. Drinkt het laatste slokje – koude – koffie uit haar kopje. Zou Stefan weten dat ze op de hoogte is van zijn levensdrama? Opeens is er een hand op de hare.

'Kom, Noortje. Het is ondertussen bespreekbaar, hoor! Ik ben niet de enige die een enorm verlies heeft geleden. Geloof me: er ís leven na alle ellende. Ook al kun je niet dagelijks van kwaliteit spreken. Wat mij is overkomen, wens je niemand toe. Tijdens een vakantie in een caravan ontplofte bij vrienden van ons tijdens een feestje een gasfles. Mijn vrouw en twee kinderen verloren het leven. Net als mijn beide vrienden. En ik... ik was even weg om een voorraad cola en bier te halen. Zo gaan die dingen! Zeg het gerust als je nieuwsgierig bent geworden en meer wilt horen. Ik ben gewend dat de mensen meeleven, maar stiekem denken: Gelukkig dat míj dat niet is overkomen!'
Noortje kijkt naar zijn hand, waar ooit een trouwring aan zijn vinger heeft gezeten. Met heel veel moeite heft ze haar hoofd op en dwingt zichzelf Stefan recht in de ogen te kijken.
'Ik hoorde zoiets van Wadee. Nee, van mij hoef je geen details te vertellen. Ik vind het zo... onbeschrijfelijk erg voor je, Stefan. Me dunkt dat je leven... kapot is! Hoe kom je aan de kracht door te gaan? En God... ik heb de indruk dat je gelovig bent?'
Stefan trekt zijn hand terug en knikt.
'Toch details. Jawel. Zie een rivier voor je waarvan het water woest stroomt. Jij bent die rivier. Dat water kun je niet bedwingen, niet verbieden te stromen. Dus kolkt het, jijzelf dus, verder en verder, tot het een liefelijke bedding bereikt. Geen stroomversnellingen, geen watervallen. Het water komt tot rust en kabbelt bedrieglijk als een beekje.'
Hij staart weer naar het plafond.
'Zo gaat het in je leven wanneer je denkt te zullen bezwijken. Je wilt niet verder, maar je wordt voortgestuwd. Niemand, zelfs God niet, kan dat soort pijn voor je verzachten. Ondanks alle troostwoorden!'
Hij lacht hard, schamper bijna en zegt dan met een gemaakte stem: 'Je moet maar denken, beste Stefan, dat je vrouw en kinderen nu gelukkiger dan ooit zijn... of: God haalt zijn liefste kinderen het eerst! Zo heb ik een verzameling troostwoorden op kaartjes en brieven. Met als gevolg dat ik een mens die een verlies krijgt te verduren, alleen maar in mijn armen sluit. Geen woord zeg ik dan. Ik kan dat

niet. Wat je ook zegt: het is schone schijn. Weet je wát mij heeft geholpen?'
Noortje doet een poging en zegt schor: 'Je muziek misschien?'
Stefans glimlach is nu warm en intens. 'Ook dat. Nee, Noortje, de stilte. Eenzaamheid. Hier, de boerderij, het landschap. In de stilte heb ik God leren kennen zoals nooit tevoren. Ik heb hier leren bidden en... luisteren naar Hem. Vandaar dat ik mijn carrière omgegooid heb. Ik wil iets voor Hem doen. Mensen via muziek leren naar God om te zien. Ik zal je iets bekennen wat ik alleen tegen een heel goede vriend heb gezegd: als ik mijn grote portie leed niet had gehad, zou ik nooit en te nimmer deze weg hebben gekozen. Hier hebben gewoond. En dat is de waarheid.'
Noortje is er stil van. Ze knikt en voelt zich tekortschieten.
'Er zullen best veel mensen geweest zijn die je wilden helpen... je lijkt me niet iemand die geen vrienden heeft.'
Stefan gaat staan en schuift de stoel onder de tafel. Sterre schrikt ervan en reageert met een kort blafje. 'Best wel. Maar ik wil dat soort hulp niet. "Stefan... ik geef een dineetje... er komt zo'n leuke nicht van me... die moet je echt leren kennen!" Weer die stem. Opeens giert Noortje van het lachen.
'Zo gaan die dingen... ik herken het absoluut!'
Een punt van overeenkomst. Een tweede, want hun gezamenlijk verlangen om hun huis te behouden, staat voorop. Als eerste.
'Zal ik je mijn huis laten zien? De studio, het toekomstige leslokaal. De bovenverdieping is nog goed intact. Ik wil er logeervertrekken van maken. Studieruimtes.'
Achter hem aan loopt Noortje de trap op met Sterre in haar kielzog.
'Wat is het hier licht... gunst, ik zie het! Wat een groot dakvenster! Een kunstschilder zou er blij mee zijn!'
'Ik ook!' lacht Stefan en opent een deur naar een kamer waar een schildersezel centraal staat opgesteld. Een doek gaat half verscholen achter een stuk laken. Hij tilt het op en zodra Noortje beseft wat er is afgebeeld, lijkt het of haar hart in haar borst breekt. Twee allerliefste

kinderkopjes kijken haar aan. Ogen die stralen. Léven. 'Het is nog niet klaar.' Een paar lijnen, getekend met houtskool achter de kopjes doen vermoeden dat er nog een persoon bijkomt. 'Het is een soort verwerkingsproces. Het doet pijn om hier te zijn, de kwasten te hanteren. En gelijktijdig is er niets wat zo troostrijk is...'
Stefan legt, alsof hij steun zoekt, een arm rond Noortjes schouders. Het voelt vreemd vertrouwd aan. Schuw kijkt ze op. 'Je bent een kunstenaar. Wat heb je veel meegekregen, bij je geboorte!'
'Zeg dat wel!' Het klinkt niet alsof hij vol eigendunk is. Nee, hij is het simpel met haar eens. Het is een feit. Musicus, schilder. 'En de Heere heeft me ook nog een goeie stem gegeven!' Hij draait haar een halve slag om, legt nu beide handen op haar schouders en barst uit in een lied.
'Ach... Ich hab im Meinen Herzen dadrinnen... so ein wunderbare Smerz!' Hij lacht. 'Enzovoorts!'
Noortje gaapt hem met open mond aan. 'Dan laat je toch al dat andere liggen en ga zingen... met zo'n stem!' Stefan haalt zijn vierkante schouders op. 'Er zijn er al zo veel!' En daarna, abrupt opeens: 'Kom, je moet de rest ook nog zien. De kamertjes. Het zijn van die hokken, zo stel ik me het vertrek van een kloosterling voor.'
Veel later zitten ze weer in de keuken. Stefan heeft een blik soep los getrokken. Droog, al wat ouder bruin brood met tomatensoep. Noortje geniet ervan en laat Sterre delen in het brood.
Veel later dan gepland aanvaardt ze de terugweg. Er is een afspraak gemaakt. Stefan wil graag dat ze de knoop doorhakt en met een stevig plan komt. 'Voor mijn part richt je een bedrijf op waar biologische groenten worden gekweekt. Of pompoenen, of kalebassen. Daarna kun je denken aan het ombouwen van het huis en de bijgebouwen. Het erf inrichten. Tja, de mogelijkheden zijn vele. We zitten ver genoeg van elkaar om geen last van de ander te hebben. Ik bedoel: muziek is niet bepaald een stille business! Ik verheug me op je volgende bezoek!'
Twee zoenen, alsof ze oude bekenden zijn. Een ferme klap op haar

schouder. Sterre krijgt een zoen op haar neus. 'Pas goed op het vrouwtje, ja?'
'Wroefff!'
Pas als ze de eerste gebouwen van de stad in het vizier krijgt, komt Noortje tot kalmte en ze besluit, net als na haar eerste bezoek aan de boerderij, een bezoek aan haar boekenvriend te brengen!

7

'Vertel het me maar, meisje!'
Noortje voelt zich, zoals gewoonlijk, in het gezelschap van Daan Pruisen niet ouder dan een jaar of tien. Ze gunt iedereen een vriend als Daan. Een rots in de branding, iemand die weet wat luisteren is en niet of zelden oordeelt. Ook zal hij nooit met 'oud zeer' op de proppen komen. Het verleden is voorbij, als het goed is, heb je van je fouten wat geleerd. En ook nog eens inspiratie voor mórgen opgedaan.
'Je glimt als een gepoetst appeltje. Is het eindelijk zover... heeft Amor of hoe die knar ook moge heten, eindelijk raak geschoten?'
Noortje nipt van haar sterke, zoete thee en bloost. 'Toe nou, Daan! Ik heb alleen gezegd dat die man een bijzondere uitstraling heeft. En ja, ik was onder de indruk. Als je bedenkt wat hij heeft meegemaakt... en tóch weer verder weet te leven. Nieuwe dingen wil oppakken. Wat een verschil met mij toen Willem ervandoor ging!'
De oude klok kreunt trouw de zeven slagen.
Willem gaat zitten tegenover Noortje en stapelt een paar bestelde boeken keurig op elkaar, doet er een dikke elastiek omheen en schuift een kaartje met naam en adres van de besteller eronder.
'Dat is een ander verhaal. Je kunt geen eieren met appels vergelijken, kind!'
Noortje antwoordt automatisch: 'Het is appels en peren, Daan. Geen eieren, hoewel ik die variant niet eens zo raar vind. Verliefd? Op mijn leeftijd? De kinderen zouden gillen. Echt waar. Hoewel... liefde is een tijdloos gebeuren.' Ze spreekt zichzelf tegen, dat gebeurt wel vaker. Ze vertelt over de liefde van Marie en haar dochter, een liefde die ze niet kent en niet begrijpt.
Daan mijmert door en lijkt niet te horen wat Noortje zegt. 'Die man... hoe heet hij ook weer? Stefan, is het niet? Wel, die leeft waarschijnlijk niet op de motor van zijn ziel. Want dan ben je als de golven die op het strand rollen. Of beuken. Je bent afhankelijk van de elemen-

ten en hebt niets in te brengen. Leef je echter vanuit je geest, dan wordt alles anders.
Gods Geest. Via die van jou kun je met Hem communiceren en de boze kan er niet bij. Al je inspiratie haal je daar uit. Je lijf sterft, meisje, maar de geest, je ziel, die blijft leven. Dat kun je niet jong genoeg leren!'
Noortje geniet van de 'preken' van haar vriend. 'Je hebt gelijk...' aarzelt ze. 'Zo heb ik het eigenlijk nooit bekeken. Vroeger zeiden de meisjes, als ze iets héél erg zielig vonden: "Vind jij het ook zo 'óóóóóhhh', mamma?" Snap je? Die kreet werd altijd gebruikt bij nare dingen zoals het vinden van een dood vogeltje.'
Daan glimlacht. 'Tja, kinderen... En wat die man betreft... het is niet verkeerd om een vriend te hebben, Noortje. Ik heb er geen slecht gevoel over!'
De winkelbel verstoort het gesprek. De klant van de bestelling meldt zich. Al snel is hij met Daan verwikkeld in een gesprek over een bepaalde uitgave. 'Eerste druk, Daan! Ik kom van de week even langs om je mijn vangst te tonen. Je zult likkebaarden!'
Noortje zoekt haar spulletjes bij elkaar en trekt haar jas aan. 'Dag Daan... tot gauw!' Ze geeft hem een speels duwtje en glipt de winkel uit.
In de auto zit Sterre op de achterbank door het raam naar buiten te kijken. Alles wat beweegt, boeit haar. Rennende kinderen, die elkaar gillend na zitten. Noortje kijkt op haar horloge. De scholen zijn al uit, dan moet het toch tegen vieren lopen. Rare tijd... trek heeft ze niet. Samen met Stefan heeft ze soep met brood gegeten. En zin in koken heeft ze niet. Misschien wipt ze straks even bij de snackbar aan. Patatjes met veel saus... eens in de week vaste prik! Misschien is Carmen thuis. Ze neemt zich voor het gewoon te proberen; best mogelijk dat deze dochter vroege dienst heeft gehad.
Ze heeft een vervelend gevoel als ze aan Carmen denkt. Carmen met die getrouwde man... het zit haar niet lekker en ze gelooft ook niet dat Carmen gelukkig is met de situatie. Ja, haar moederinstinct heeft

het meestal goed. Het is niet ver rijden naar het complex van flatgebouwen. Het zijn fraaie gebouwen. Er is bij het ontwerpen ervan goed nagedacht.
Carmen is thuis. Ze ziet al tijdens het parkeren het wagentje van haar dochter staan. Hopelijk is ze welkom. Het kan zijn dat er bezoek is. In dat geval is ze snel weg! Een moeder die haar kinderen voor de voeten loopt, verfoeit ze.
'Mamma! Je komt als geroepen!' Carmen ziet er slecht uit, alsof ze een zware griep onder de leden heeft. Noortje schrikt ervan. Haar kinderen zijn het liefste wat ze op aarde heeft, het moet hen goed gaan. Nee, het moet hen geweldig gaan... het liefst zou ze alle obstakels waar ze tegenaan lopen, voor ze opruimen. Ze vraagt zich af of het een eigenschap is die ze met alle moeders ter wereld deelt...
Noortje suist met de moderne lift snel omhoog. En voor de zoveelste maal schiet er een 'dankjewel, Willem!' in haar hart omhoog. Dankzij hem wonen de kinderen, en niet te vergeten zijzelf, toch maar prima. En meer dan dat.
Carmen begroet haar moeder op een manier die Noortje niet van haar gewend is. Ze zou willen roepen: 'Ik ben het, je mam! Geen vreemde!'
'Jij bent ziek. Ben je daarom niet naar je werk? Wanneer begin je in je nieuwe baan...? Waarom heb ik het gevoel dat je me de laatste dagen ontwijkt?'
Noortje kan zichzelf wel slaan. Dit is geen begroeting. Ze omarmt Carmen en voert haar naar de fraai ingerichte woonkamer. 'Heb je ruzie met die man... is het soms uit?'
Carmen begint te trillen, terwijl de tranenvloed niet te stuiten is. Noortje wil troosten, bemoedigen, maar ze stuit op een muur van verzet. 'Je zult me toch eerst moeten vertellen wat er aan de hand is. Ik sta klaar om je te helpen, dat weet je. Wijs me alsjeblieft niet af...'
Noortje schrikt van haar eigen woorden. Afwijzen, daar is ze als de dood voor. Afgewezen worden. De oorzaak kent ze zelf het beste. Willem. Altijd weer haar reactie op het gedrag van haar ex. Ook al

denkt ze zo niet aan hem. Voor haar is hij geen 'ex', maar haar overleden echtgenoot.
'Carmen, schat dan toch. Je maakt jezelf ziek door zo te huilen. Als je zwanger was, zou ik, zoals de mensen vroeger bewoorden, dreigen dat je een huilbaby zou krijgen. Nou ja... bakerpraatje waar ik jou niet mee lastig hoef te vallen!'
Carmen verstijft in haar armen, het huilen is abrupt gestopt. 'Mamma... hoe weet je het? Heeft Gerdien gekletst? Ik heb nog zo gezegd...'
Noortjes gedachten gaan razendsnel. Ze trekt conclusies en beseft de waarheid. Haar kind is zwanger van die man. Die getrouwde kerel. Ze voelt tranen opkomen. Met uiterste krachtsinspanning weet ze die terug te dringen, maar haar stem klinkt wel vreemd als ze zegt: 'Gerdien heb ik dagen niet gesproken. Dus jij wilt me vertellen dat je... een kindje krijgt van die man? Is het jullie beider wens?'
Wat een vraag. Terwijl ze heel andere dingen denkt. Een kindje krijgen terwijl je niet getrouwd bent, is in haar ogen nog steeds niet wenselijk, zo niet fout. Een kindje hoort welkom te zijn in een gezin, waar een vader en een moeder zijn die elkaar beminnen. Ja, in de ogen van velen, en helaas ook in die van haar dochters, zijn Noortjes principes antiek. Ouderwets, niet van deze tijd. Maar Noortje is verre van antiek, ze houdt zich alleen aan dat wat ze puurt uit Gods Woord.
'Ja, mamma... je hebt het goed geraden. Ik ben zwanger, maar hij weet het nog niet. Ik dacht hem te verrassen... eerlijk gezegd dacht ik hem op deze manier te binden. Dus het is géén ongelukje, mam...'
Noortje trilt van top tot teen. Ze laat haar dochter los en strompelt naar een stoel waar ze zich op laat vallen. Allerlei verwijten dringen zich een weg naar haar lippen, maar ze zwijgt. Houdt al die aantijgingen binnen. Ze mag en wil niet bezeren. Wie is zij dat ze kritiek zou hebben... wie van u zonder zonde is...
Het is alleen zo onvoorstelbaar dom en kortzichtig van Carmen. 'Je bent woest, ik wist het wel, mam. Sorry dat ik je verdriet doe. Maar het is wel míjn leven en als het erop aankomt, heb jij daar

niets over te zeggen. Ook al ben je mijn moeder!'
Carmen snuft en gaat ook zitten.
Noortje hapt naar adem. 'Kind toch... ik heb jullie al zo snel mogelijk nadat je het huis uit was, losgelaten. Dat weet je toch... ik heb altijd gestimuleerd dat je je leven zelf op de rails zette. Hoe kun je nu zulke domme dingen zeggen over mij? Ik weet best dat ik aan de zijlijn sta van jullie leven. Ik...' Noortje slikt een keer krampachtig. Altijd dat ík. Alsof ze zich verdedigen moet voor wat ze voelt. Voor haar liefde.
Moeder en dochter kijken elkaar aan door een waas van tranen.
Tegelijk beginnen ze te praten. 'Ik houd toch van je... van jullie alle drie evenveel. Alles wat ik zeg en doe, wordt geïnspireerd door liefde. Maar een moeder schijnt altijd haar mond te moeten houden. Zwijgen. Alsof ik dat niet áltijd al heb gedaan!' Nu komt er van alles en nog wat in Noortje op. Had ze zelf niet altijd respect voor haar ouders? Ook al hadden ze niet altijd gelijk. Misschien deed ze er verkeerd aan hen te ontzien.
'Ik houd toch ook van jou, mam. Wat doe je raar opeens... ik wéét toch dat je diep vanbinnen woest op me bent? Je beheerst je. Keurig... nee, jíj hoeft nooit je excuses aan te bieden. Wees toch een keer jezelf, méns!'
Noortje krijgt de neiging haar dochter de rug toe te keren; simpelweg te verdwijnen, terug naar haar eigen huis. Ze realiseert zich op tijd dat Carmen zichzelf niet is. Ze gedraagt zich opgefokt.
Natuurlijk zit ze barstensvol kritiek. Misschien zou het opluchten als ze alles wat ze nu denkt, eruit gooide. Maar ja, dan moet ze 'sorry!' zeggen. Aldus Carmen. 'Mens!' Zo heeft Carmen nog nooit tegen haar gesproken. Alsof ze de eerste de beste buurvrouw is, of een collega, een hulp in de huishouding.
Noortje slikt een zucht in, bedenkt dat het de hormonen zijn die maken dat haar dochter niet zichzelf is. Welja, ze zoekt én vindt een excuus voor Carmens gedrag.
Noortje ontdoet zich van haar jas en gaat weer zitten, uiterlijk

beheerst. Ze knipt haar tas open, rommelt er in en sluit hem weer. 'Dus je bent zwanger, hij is nog niet op de hoogte en het was je bedoeling. Wel, kind, dochter van me, ik vrees dat hij er niet gelukkig mee zal zijn. Je hebt hem in een moeilijk parket gebracht. Wanneer vertel je het hem?'
Carmen loopt naar de keuken, Noortje hoort de kraan stromen en even later komt Carmen terug, een handdoek half voor haar gezicht. 'Nooit, denk ik. Want wat is het geval: zijn vrouw is ook in verwachting. Ik zag haar bij de verloskundige. Dolgelukkig was het stomme mens...'
Noortje heeft haar mond al open om wat over dat 'stomme' te zeggen. In plaats daarvan schudt ze haar hoofd. 'Toch heeft hij, Joris, toch? recht op de waarheid. Vroeg of laat komt hij er toch achter. Tja... hoe denk je dat het nu verder moet gaan?'
Carmen bet haar ogen, duwt de vochtige doek tegen haar gezwollen oogleden. Ze schokschoudert. 'Weet ik veel... jij hebt in je eentje ook drie kinderen grootgebracht. Waarom denk je dat ik dat niet zou kunnen?'
Noortje zegt op zachte toon, bijna fluisterend: 'Dat heb je mij niet horen zeggen. Ik weet alleen dat ik je heel wat anders had gegund. Natuurlijk zal ik...' ze onderbreekt haar zin. Carmen is duidelijk niet gediend van haar moeders hulp. Noch van haar mening.
Carmen zegt met lage stem: 'Ik weet wel wat jij had gewild. Carmen netjes zien trouwen met een man die binnen is. Na verloop van tijd een paar kindjes. Alles zoals het hóórt. Althans: in jouw ouderwetse ogen.'
Noortje knippert een keer. Ouderwetse ogen.
'Ja ja. Ga door.'
'Dán was je zo trots als een pauw geweest. Eindelijk oma! Ach... mam, zie je dan niet om je heen dat het bijna nergens meer zo gaat!'
Nee, denkt Noortje. Bij een ander gaat het helemáál fout. Brand, vrouw en kindertjes komen om. Of, zoals bij de dochter van Marie Schuilenburg, er ontstaat een wanverhouding tussen moeder en

dochterlief. Dochter wordt moeders slavin zonder het zelf ooit te beseffen.
En dan is er nog buurman Bart van tegenover. Vrouw overleden, nog voor er kindertjes waren.
'Ach, Carmen... ik geloof dat ik maar het beste kan opstappen. Tot een gesprek komen we toch niet. Niet zolang jij de bokkenpruik op hebt. Ik wil je toch alleen maar... ik ben toch je moeder!'
Noortje heeft haar jas al aan, klemt de schoudertas onder een arm.
'Ik houd van je, ik leef met je mee. En het liefst vergeet ik wat je er allemaal hebt uitgegooid. En nee, je hoeft niet eens "sorry" te zeggen. Sterkte met alles...'
En weg is Noortje. Ze vlucht de flat uit, start haar wagen en rijdt razendsnel weg. Tranen biggelen over haar wangen. Wat een dag.
Het begon zo knus. Zon in de keuken, gezellig ontbijtje. Aanhankelijke Sterre. De vreemde ontmoeting met de dames Schuilenburg en daarna was er een hele tijd niets en niemand anders dan Stefan Korpershoek.
Het mag een wonder heten dat Noortje zonder kleerscheuren thuiskomt. Ze stapt uit, wankelt op haar benen, terwijl Sterre de buurt bij elkaar keft. 'Stil toch jij...'
Het is te laat, daar komt Bart aan lopen met klompen aan zijn voeten, een trui met gaten aan, de ellebogen steken erdoor. In zijn ene hand heeft hij een schop, in de andere een kleine struik. 'Ik heb wat voor je. Een roze azalea. Het wordt te vol in mijn voortuin en ik bedacht dat jij achter nog wel een plekje hebt!'
Dan pas ontdekt hij dat Noortje een ontredderde indruk maakt. Hij zet de schop op het trottoir, tegen het tuinhekje aan. De azalea ernaast. 'Ik loop even met je mee naar binnen. Ik denk dat een kop koffie je goed zal doen!' Hij voert haar aan een arm achterom het huis in. Alsof ze opgebracht wordt wegens een wandaad.
Eenmaal in de keuken begint Noortje te snikken. Bart trekt haar tegen zijn borst. Ze ruikt zijn lichaamsgeur en denkt automatisch aan Willem.

'Ik weet niet wat de reden is van je verdriet, maar bij mij is alles wat je vertelt, veilig. Zo, jas uit, en zitten.'

Hij pakt, net als Carmen kort ervoor ook deed, een handdoek en houdt deze onder de koude kraan. 'Hier... dat wil nog wel eens helpen. En ik kan het weten, meidje!'

De koffie is snel gezet. Noortje snuift de pittige geur op en slaakt een sidderende zucht. 'Het gaat alweer. Echt, er is niets aan de hand!' Koffie. Alweer koffie.

'En mijn naam is haas. Zo, eerst drinken en dan praten!' Bart gaat op zoek naar een koekje of iets dat er op lijkt. Sterre zit midden in de keuken, kopje opgeheven naar Bart. Er klinkt heel zacht een verwijtend geluidje, binnensmonds. 'Stukken speculaas. Lekker, hier, jij een brok en ik een brok. Trommel leeg. Mag dat diertje ook een hap mee?'

Noortje wijst naar een blik dat op het aanrecht staat, schuin achter het koffiezetapparaat. 'Aha, mevrouw heeft haar eigen snacks. Had ik moeten weten. Sterretje, een heuse kluif voor jou!'

Hap, zegt Sterre. Tevreden gaat ze onder de tafel liggen knagen.

In stilte drinken beiden hun koffie. Noortje voelt zich weer warm worden. Ze snikt nog een keer na, zonder het zelf te merken.

'Het is Carmen...' begint ze. Bart knikt.

'Dat is toch die blonde? Met kuiltjes in haar wangen als ze lacht...? Ze lijkt op jou. Ik meende dat ze een vriend heeft? Of is het alweer "had"?'

Noortje schaamt zich voor haar dochter. Dát is het, dat voelde Carmen daarstraks haarfijn aan zonder het te uiten.

'Vriend, getrouwd. Vader van een stel kinderen. Vrouw zwanger... en Carmen ook...' De vochtige handdoek doet weer dienst.

'Jongens... dat is me wat. Alles kan tegenwoordig toch maar. Wat zegt de vriend van het feit dat hij twee keer pappa wordt? Rare situatie! Die vent is bigamist!'

Noortje komt voor de haar onbekende Joris op en vertelt dat het een idee van haar wanhopige dochter was, dat zwanger worden. Bart

informeert ongerust of ze aan abortus denkt?
Noortje schudt haar hoofd. 'Dat denk ik toch niet. Ze wil het kindje maar al te graag. Maar zoals ze tegen mij deed... alsof ik haar de huid vol gescholden had... ik ben toch haar moeder?'
Bart gaat ervoor zitten, zet zijn ellebogen op tafel. 'Dat zit zo, meisje: juist tegen een moeder verzet de dochter zich in zo'n geval. Jij bent haar opvoedster, haar voorbeeld en dus zul je wel een blik kritiek opentrekken. Zoiets heb ik wel eens gelezen. Eigenlijk moet jij je van haar houding niets aantrekken en er vooral niet met je andere twee kinderen over praten. Carmen trekt wel weer bij. Ze kan niet buiten je, dat kon ik zó zien. Ze zijn alle drie stapelgek op je. En straks, als die baby er is, heeft ze je hard nodig. Let op mijn woorden. Schud het gebeurde van je af... net zoals Sterre doet als ze nat geregend thuiskomt!'
Even wordt het stil onder de tafel. Wie noemde de naam Sterre? Het volgend moment is het botje belangrijker. Knaag... knaag...
'Jij hebt gemakkelijk praten. Ik wilde haar alleen maar behulpzaam zijn!'
Bart legt een hand, waarvan de nagels rouwranden hebben, over die van haar die met een lepeltje speelt. 'Echt, ze trekt wel weer bij. Ik denk dat ze in gedachten lange gesprekken heeft gevoerd. Met jou, met die vriend en zijn vrouw. Ken je dat zelf ook niet? Voor je met iemand moet gaan praten, neem je in gedachten het gesprek door. Zó zóu het kunnen verlopen. Echt, die Carmen van jou staat hier op de stoep voor je het weet!'
Nogmaals een mok koffie. Noortje drinkt gulzig. 'Ik heb altijd gedacht: wij viertjes tegen de wereld. We kunnen samen alles aan. En opeens is het alsof ik buiten de poort wordt gezet. Ik heb ouderwetse ogen...'
Nu schatert Bart zo hard dat de glazen in de kast er nog net niet van gaan rinkelen. 'Mooi toch... moet ze eens in de spiegel kijken: dan ziet ze dezelfde ogen als van haar mam.'
Noortje lacht mee. Als een boer met kiespijn.

'Ik moet je ook wat vertellen!' Bart slaat met beide handen zo hard op tafel dat Noortje én Sterre schrikken.
'Mijn moeder vertrekt. Jawel, ze gaat op reis. Met een paar verre familielieden, die uit het niets zijn opgedoken. Ze kwamen een vrouw tekort. Er was iemand uitgevallen. Vijf stellen... een lange reis via Duitsland en Zwitserland naar Italië. Jawel, en mijn moeder vindt het prachtig! En ik? Ik voel me schuldig. Zou ze gemerkt hebben dat ik graag weer op mezelf wil zijn? Zonder haar bemoeienis dóór wil?'
Nu breekt bij Noortje de zon door. Ze veegt de laatste traan weg en zegt plagend: 'Nou ja... hoor wie het zegt. Pas je woorden tegen mij maar op jezelf toe!'
Ze lachen saamhorig.
'Zonder gekheid, ik vind het stoer van je moeder, Bart! Zomaar een lange reis gaan maken met mensen die ze maar half en half kent! Weet je wat ik vermoed? Dat ze iets over zich heeft van: nu of nooit!'
Bart knikt. 'Zoiets moet het zijn. Ze is nu druk in de weer om mijn huis van onder tot boven te zwabberen, zodat ze me met een gerust hart achter kan laten. Ik ben haar echt dankbaar voor wat ze heeft gedaan. Ja, ze liet voor mij toch haar eigen boeltje maar achter... om mij bij te staan. Een moeder van het ouderwetse soort...
Ken je dat gedicht over een moeder die alles en alles voor haar kind deed? De naam van de dichter weet ik niet meer, helaas. Aan het eind van haar leven eiste de zoon haar hart. Waarom? Ik geloof dat het iets met zijn vrouw te maken had. En toen hij dat hart liet vallen, struikelde hij er ook nog eens over. Zie je het gebeuren?'
Noortje huivert. 'Stop... ik hoef het niet verder te horen!'
Maar Bart gaat door. 'Jawel. En wat zei dat moéderhart? "Ach, mijn jongen, heb jij je bezeerd?" Nou... is-ie goed of is-ie goed?'
Noortje schudt haar hoofd en legt een hand op haar hart. 'Een smartlap van de bovenste plank, buurman Bart. Maar er zit wel iets van waarheid in! Verwen je moeder nog maar nu het nog kan. Ik wilde wel dat de mijne nog leefde, soms wil ik dat echt. Maar goed, laten we nuchter blijven...'

Ze loopt met Bart mee naar buiten. Hij wijst waar hij dacht de kleine azalea te kunnen poten. 'Als ie bloeit, zul je ervan genieten. Zeker weten!'
Noortje bedankt hem en haast zich naar binnen. Want... hoorde ze nu net de telefoon of was het verbeelding?

8

NIET CARMEN, MAAR GERDIEN KOMT DIE AVOND ONVERWACHT BUURTEN. Ze heeft een beeldig boeket lentebloemen meegebracht en ze begroet Noortje met haar warme, gulle lach. 'Ik dacht: Kom, ik ga de aanstaande oma feliciteren! Want ondanks alles is het toch maar een feit: jij wordt oma en ik tante!' Ze omhelst haar moeder zonder het boeketje schade toe te brengen. 'Ik zag deze bloemen in de kraam en dacht gelijk aan die leuke kan van je, die je ooit van de één of andere buurvrouw op een verjaardag hebt gekregen. Wel, daar zijn deze bloemen voor gegroeid!'
De kan is snel gevonden en tevreden zet Gerdien de lentepracht midden op de salontafel. 'Ik heb een hele avond voor mezelf, mam. En dat gebeurt niet vaak. We hebben het zo druk op de redactie. Een paar nieuwe mensen... nieuwe ideeën. Zo van: nieuwe bezems vegen goed schoon. Komt echt uit in dit geval!' Ze ploft in een stoel en roept dat het zo heerlijk is dat de dagen langer worden. 'Ik heb nog geen plannen voor de vakantie. Hoewel er een uitnodiging ligt waar je bijna voor zou bezwijken!'
Noortje is zoals altijd belangstellend, vraagt zich af waarom haar dochter opeens bloost. Het zal toch niet waar zijn... Ze gaat zitten, vouwt haar handen samen in haar schoot. Nu niet zichzelf bloot geven. Gewoon afwachten wat het kind kwijt wil.
'Er is zo'n leuke man komen werken, mam. Een Belg. Ik ben verkikkerd op dat accent van hem. Enne... ook op de rest. Maar hij mag het nog niet weten!' Gerdien lacht schalks. 'Want weet je, mam, iederéén vindt hem aantrekkelijk. En dus ben ik een beetje terughoudend. Ik moet eerst zeker weten of ik niet nummer tien ben. Of twintig, of honderd...'
Het blosje staat haar lief, Noortje kijkt vertederd naar deze dochter die maar zo bekent verliefd te zijn. Alsof ze leeftijdsgenoten zijn.
'Als hij voor je bestemd is...' begint ze plechtig.

Gerdien barst in een schaterlach uit. 'Echt, mamma. Bestemd... geloof je dat echt nog, mamma? Ik dacht dat een mens dat zelf wel mocht uitmaken. Kijk naar je eigen leven... was dát bestemming?' Dan valt ze zichzelf in de rede, staart naar het fotomapje en grist het weg van de tafel.

Noortje heeft spijt dat ze het niet gelijk heeft weggeborgen. Wat nu? Zie je wel, vragen. 'Is dat de boerderij van dinges... die oom van onze vader? Daar had je het vroeger zo vaak over. Piet, oom Piet, toch? Wat een aparte foto's. Hè, daar zou een artikeltje bij moeten. Van wie heb je die, mam?'

Gerdien bladert, bewondert de boerderij en moet lachen om de stijve houding van de gefotografeerde mensen. 'Dat dachten ze vroeger, hè mam? Dat ze moesten poseren. Stram in de houding! Maar hoe kom jij hier aan?'

Noortje gaat verzitten, kijkt naar haar in elkaar geklemde handen. Ooit moet het er toch van komen.

'Dat is een heel verhaal, lieverd. Ik weet niet of je wel tijd hebt om het van begin tot eind te horen... En nog wat: als, ik zeg: áls ik het vertel, mag je me niet in de rede vallen. Je moet me uit laten praten!'

Dat belooft Gerdien plechtig. Die mam...

Noortje begint bij het begin, dat is Gerdien deels bekend. Maar mam kan het zo brengen dat het nieuw voor haar is. Ze ziet de twee kindertjes in de zandbak. Haar beide ouders...

Haar vaders fantasieën over later.

Halverwege het verhaal onderbreekt Noortje zichzelf. 'Ik word schor van het praten. Wil je wat fris drinken? Je moet nog rijden... ik neem witte wijn. En jij?'

Gerdien veert op. 'Eén glas kan echt geen kwaad, moedertje. Heb je nog wat te knabbelen in huis?' Natuurlijk heeft Noortje dat.

Terwijl Noortje naar de keuken is, knipt Gerdien een paar schemerlampjes aan. Nogmaals bekijkt ze de foto's en rekent uit hoe lang het alweer is geleden dat ze bericht van de erfenis hebben gekregen. Die mam...

Stil water! Nooit gedacht!
Noortje zet twee gevulde glazen op tafel en Gerdien doet net of ze niet ziet dat haar glas minder gevuld is dan dat van Noortje. 'Waar haal je die lekkere zoutjes toch, mam? Zoute driehoekjes... ik zie ze nooit in de supermarkt waar ik winkel!'
Noortje zegt bijna triomfantelijk dat Gerdien dan ook 'ouderwets' moet winkelen. En noemt de naam van de super die ze al jaren trouw is.
'Ga door met het verhaal, mam!'
Maar al te graag brengt Noortje onder woorden waar ze dag en nacht mee bezig is.
'Dus toen ik de boerderij zag... het ziet er niet uit daar. Als je het met die kiekjes vergelijkt... brr! Maar goed, het gaat om de mogelijkheden! Ik heb bij Daan, je weet wel, de man van het antiquariaatwinkeltje...'
Gerdien knikt. 'Met de klok die het altijd zeven uur heeft? Tuurlijk.'
Boeken... plannen, mogelijkheden. Opeens schatert Gerdien het uit. 'Vandaar die laarzen van je... je tuinbroeken en de rest! Die mamma toch!'
Noortje kleurt. Ze voelt zich even alsof ze een mens is die je beter niet te serieus kunt nemen.
'Er staan nog meer boerderijen. Een paar zijn onbewoond. Maar niet allemaal. Ik ben op bezoek geweest.' Ze somt de namen op.
'Wadee... net zoiemand als Swiebertje. En vervolgens moeder en dochter Schuilenburg. Net iets voor een artikeltje voor jouw krant. Die leven in een voorbij tijdperk. Enfin... vanochtend bezocht ik Stefan Korpershoek...'
Gerdien zet haar glas neer, naast haar voeten. 'Dat meen je niet. Weet je wel wie dat is? Die man is zó muzikaal... en hij heeft het nodige meegemaakt. Zijn gezin is door brand omgekomen. Wist je dat? Ging je maar zo bij hem op bezoek? Woont hij dus dáár... ik weet dat veel mensen zich afvragen waar hij zich heeft verstopt!'
Noortje heeft het gevoel dat ze Stefan aan het verraden is. 'Je moet wat ik vertel wel voor je houden en het niet wereldkundig maken!'

zegt ze verontwaardigd. Gerdien maakt sussende geluidjes.
'Vanzelf niet, ga door, mam! Het wordt spannend!'
Noortje overdenkt iedere zin die ze zegt, zorgvuldig.
'De gemeente heeft plannen. Er wordt veel over gepraat, maar niemand weet wat wáár is. Misschien komt er dwars door het terrein een verbindingsweg. Maar er zijn ook – hoe noem je die lui? – projectontwikkelaars. Het nieuwste schijnt te zijn dat er mensen zijn die in dat gebied een golfbaan willen aanleggen. Met alles er op en er aan. Zelfs een hotel... maar ze krijgen Wadee, de dames Schuilenburg, Stefan en mij niet zonder meer weg! Ik heb plannen, Gerdien!'
Noortje drinkt haar glas leeg. Hoeveel durft ze prijs te geven? Natuurlijk is Gerdien te vertrouwen. Maar zolang ze nog geen vastomlijnde plannen heeft, is het moeilijk álles met een ander te delen. Zelfs al is die ander Gerdien.
'Er zijn dus legio mogelijkheden...' peinst Gerdien als haar moeder even stilvalt. Ze denkt aan het project voor het tijdschrift waar ze voor werkt. Het zou geweldig zijn als mam iets, wat dan ook, ondernam zodat zij uit de eerste hand zou vernemen hoe alles verloopt. Gerealiseerd wordt. Het past zo precies in dat wat de hoofdredactie heeft voorgesteld. Een prima item om oudere lezers tegemoet te komen wat betreft de leesstof.
'Mam! Beloof me dat jij je niet in een hoek laat drukken! Ik wil je best behulpzaak zijn. Het zal niet meevallen met slechts een paar mensen te vechten tegen de overheid. Je moet iemand met juridische kennis achter je hebben! Ik kan wel iemand voor je opduikelen. Die zorgt er voor dat je geen kardinale fouten maakt zodat ze je kunnen pakken op een verkeerde inschatting. Waarom beleg je hier geen vergadering? Ik wil wel voorzitten... krijg je die twee oude dames hun huis wel uit?'
Voor het eerst deze dag moet Noortje schaterlachen. 'Oh kind, ik wilde dat je het daar kon zien. Echt, het is een gedoe uit de jaren dertig, veertig van de vorige eeuw misschien. Ik denk dat ze wel bereid zijn hun handtekening te zetten als het erop aankomt. Maar

Wadee... die Swiebertje... daar valt nog mee te praten!'
Dan wil Gerdien van alles en nog wat weten over Stefan. 'Hoe is het met zijn muzikale carrière? Is hij blijven steken in zijn ellende?'
Noortje is zuinig met woorden en blij met het schaarse licht. Niet nodig dat deze dochter ontdekt dat ze nogal gecharmeerd is van de imposante man.
De telefoonrinkel doet beiden schrikken. Noortje staart op het toestel, dat nummerherkenning heeft. Ze kan de cijfercombinatie niet zo snel thuisbrengen. Het is Carmen niet... helaas.
'Met mij, met Bart. Ik wil even weten hoe het met mijn buurvrouw gaat! Geen tranen meer?'
Gerdien luistert mee. Bart spreekt zo luid en bovendien staat de ontvangstknop zo dat mee horen vanzelf gaat. Noortje gaat met haar rug naar Gerdien toestaan. 'Alles is in orde. Doe je moeder de groeten en zeg haar dat ik van de week langskom om alles over haar reisje te horen! Enne... nee, ik ben niet alleen. Wie? Nee... Gerdien is er!'
Als ze het toestel terug legt, zijn daar opeens de armen van Gerdien om haar heen. 'Mamma... Carmen is vervelend tegen je geweest, is het niet? Ik heb ook een paar van die poeiers gekregen. Ze zit echt slecht in haar vel. Ik ben gekomen om er met je over te praten. We kunnen haar niet in de steek laten... nu niet, mam!'
Zo komt het dat het gespreksonderwerp radicaal van koers verandert. Gerdien heeft zo haar eigen mening over het gedrag van haar tweelingzus. En ze laat rustig weten wat haar kritische punten zijn.
'We zijn altijd één geweest, Car en ik, mam... maar nu dreigt er een soort wig tussen ons te komen. Ik weiger om met haar mee te praten. Ze mag weten dat ik het oneens met haar ben! Die Joris bewust in zo'n moeilijk parket manoeuvreren, dat doe je toch niet, als weldenkend mens. En wie is de dupe? Dat kindje. Geloof jij ook maar een seconde dat Joris bij zijn vrouw weggaat of dat ooit van plan is geweest?'
Moeder en deze dochter zijn het redelijk met elkaar eens. Alleen is Gerdien nuchterder dan Noortje. Als beiden stilvallen, zegt Noortje

gekwetst: 'Ik heb ouderwetse ogen, volgens Carmen.'
Gerdien lacht voluit. 'Een typische Carmen-kreet, mam! Zolang ze het doen, mag je dankbaar zijn, toch? Blijf jij maar ouderwets kijken, lieverd. Daar zijn we alle drie goed bij gevaren.'
Later dan gepland maakt Gerdien aanstalten om te vertrekken. 'Ik kom gauw weer, mam. Geniet ondertussen van je Sterre en de boerderij. Wanneer vertel je het de anderen.'
Dat weet Noortje nog niet precies. 'Carmen heeft momenteel wel wat anders aan haar hoofd en Peter... die lieverd is zo druk... Weet je wat? Ga jij eerst eens een keer mee om te kijken! Misschien brengt het jou op een idee dat nog niet bij mij is opgekomen?'
Gerdien loopt naast Noortje door de zachte avond naar haar wagen. Ze snuift en beweert de lente te kunnen ruiken. 'Ik ruik léven, mam!'
Als ze wegrijdt, heel kort op de claxon heeft gedrukt, ziet ze voor haar geestesoog haar moeder, Noortje. Gehuld in een tienerachtige tuinbroek en bloemetjeslaarzen. Om het hoofd een boerenbonte zakdoek. Mam en haar boerderij...
Een beetje egoïstisch zijn haar gedachten wel. Want er zit per slot van rekening een prima verhaal in... Maar ze kan een schouderklopje van de hoofdredactie opperbest gebruiken!

De volgende ochtend maakt Noortje zich klaar voor haar taak als vrijwilligster. Meestal is ze op dagen dat ze dit werk niet doet, toch bezig, zij het in gedachten, met de mensen die ze hoopt te bezoeken. Sterre begrijpt dat er vanochtend geen autoritje in zit. Noch een lange wandeling. Integendeel, ze moet het doen met een rondje om twee huizenblokken. Wel krijgt ze een stevig kluifje als troost. Met treurige ogen slaat ze het vrouwtje gade. Noortje denkt: Je kunt je van alles verbeelden als je dat koppie ziet... zo van : Sterre denkt dít, Sterre denkt dát. Terwijl het in werkelijkheid jouw gedachten zijn die je projecteert op het dier! Maar evengoed krijgt Sterre een dikke knuffel. 'Tot straks, schatje van me. En waag het niet op de keukenmat te plassen!'

Ze rijdt de korte afstand naar het kantoorgebouwtje op de fiets. De wind speelt met haar krullen en trekt speels aan de sjaal die ze twee keer om haar hals heeft geslagen. En nog is-ie te lang.
Het gebouwtje is in het verleden een soort clubgebouw voor de buurt geweest. Gebouwd in de jaren zestig van de vorige eeuw. Er ligt versleten zeil op de vloeren in de gangen en vertrekken. Het meubilair is van staal en formica, de tafelbladen zijn knaloranje.
Nog vóór Noortje haar jas heeft uitgedaan, wordt ze al door de directrice begroet. 'Noortje... jij hebt toch een hond?'
Noortje laat haar jasje van haar schouders glijden en wikkelt de sjaal nog een paar keer rond haar hals. 'Ook goedemorgen, mevrouw De Wit. Eh, ja. Ik heb een hondje!'
Mevrouw De Wit zwaait met een paar paperassen. 'Het geval is het volgende. De dames die in het ouderencentrum helpen, zijn met een project begonnen. Het schijnt dat dementerende ouderen gebaat zijn bij contact met dieren. Dieren en jonge kinderen, daar reageren ze prima op, wordt beweerd. En wij willen ze graag van dienst zijn. Zo is het toch?'
Noortje knikt. 'Vanzelf. Ik kan u aan één hondje helpen, helaas niet aan een jong kind!' En ze denkt er achteraan: Nóg niet.
Mevrouw De Wit is van het voortvarende typ. 'Dus ga jij naar huis en haalt je hondje, dan kun je gelijk meedraaien in dat project. We moeten absoluut alles op schrift bijhouden, voor de evaluatie. Maar dat is je bekend!'
Noortje beent achter mevrouw De Wit aan dier kantoortje in. Langs de wanden staan fantasieloze, metalen kasten. Voor de ramen hangen druk bewerkte vitrages uit het jaar nul. Geen planten voor de ramen, wel stoffige kunststof bloemen. Op het gammele bureau staat wél een gloednieuwe computer. Ook de printer en het kopieerapparaat zien er prima uit. Geschenken van een weldoener.
'Jammer, mevrouw De Wit! Ik heb mijn vaste programma. Dat weet u toch als geen ander! Echt, ik kan mijn twee oudjes niet in de steek laten voor welk project dan ook!'

'Oh?' Dat klinkt als: En wie is er hier de baas?
Mevrouw De Wit bladert door een stapel papieren. 'Wel dus. Want mevrouw Blikman is vrij onverwachts overleden en meneer De Haan ligt in het ziekenhuis. Coma. Voor geen van tweeën kun je meer iets betekenen.'
Noortje schrikt en ploft op een harde stoel neer. 'Dat méént u niet! En ik wist van niets! Is mevrouw Blikman dan al...' Ja, mevrouw Blikmans stoffelijke resten zijn al aan de aarde toevertrouwd.
'En wat betreft meneer De Haan... voor hem is het een kwestie van dagen. Misschien uren. Tja, beiden zijn gevonden door de vaste hulp. Maar ons wacht nog meer werk. Dus... ik zou het hondje maar snel halen, als ik jou was. Hier is het adres van het verzorgingstehuis. Daar vind je de andere dames. Ik zal even bellen dat je er aankomt!'
Noortje loopt met gebogen schouders het kantoor uit, hoort de schelle stem van mevrouw De Wit in verhoogd tempo en onnodig luid per telefoon commando's geven en snel sluit ze de deur achter zich.
Dood. Mevrouwtje Blikman. Terwijl zij ik-weet-niet-wat voor onbenulligs aan het doen was. Hetzelfde geldt voor meneer De Haan. Tranen prikken achter haar oogleden. Aan het eind van de lange gang gaat een deur open, een paar jonge vrouwen zijn met elkaar in discussie en Noortje weet niet hoe snel ze het gebouw moet verlaten. Ze heeft geen zin in een babbeltje, met wie dan ook.
Fiets van het slot en naar huis, waar ze enthousiast door Sterre wordt begroet. 'Jij boft. Jij mag mee... je mag voor therapeute spelen!'
Mevrouw De Wit krijgt helemaal gelijk: het contact met Sterre is voor de demente mensen een feest. Ze komen los, lijken meer bij de tijd dan normaal het geval is.
Noortje kent de andere vrijwilligsters vaag. Ze stelt zich bescheiden op, wacht af wat er van haar wordt verlangd. 'Dit moet herhaald worden. Noortje, zie jij kans twee keer per week met je hondje hier, zoals we het noemen, op de koffie te gaan? We moeten wel op je kunnen rekenen, hoor! En als je verhinderd bent, mogen we dan Sterre lenen?'

Natuurlijk kan en wil ze dit verzoek niet weigeren. 'Het is alleen... ik wil me niet zo vastleggen dat ik geen kant meer op kan. Eh... de reden is dat ik momenteel meer verplichtingen heb!' Jaja, een zwangere dochter die je niet nodig heeft en een boerderijproject dat volledig in de mist is gehuld. Nog wel.

'Alsjeblieft, Noortje. Dit is mijn adres, telefoonnummer, en e-mailadres... ik bedoel, ik ben een altijd bereikbaar mens. Niks aan de hand als je tijdig contact opneemt! En die hond van je... een schat! Geknipt voor dit 'werk'!'

Noortje neemt zich voor vandaag nog Peter te bellen en hem over het project te vertellen. Misschien kent hij mensen die er ook aan willen meewerken.

Tevreden rijdt ze om één uur naar huis. Er kruipen allerlei verdrietige gedachten in haar hoofd die ze niet zonder meer kan negeren.

Ze denkt aan de twee zo eenzame mensen die uit het leven zijn weggegleden. En dan te bedenken dat er zoveel eenzame mannen en vrouwen zijn! Met man en macht duwt ze de herinneringen aan mevrouw Blikman en meneer De Haan van zich af. Ze kan hen niet meer van dienst zijn. Maar ze neemt zich voor in de toekomst nog meer alert te zijn als ze een nieuw adres krijgt toegewezen. Voorlopig echter is ze ingedeeld bij de demente bejaarden. Samen met Sterre!

De rest van de dag besteedt Noortje aan haar huishouden. De wasmachine draait op volle toeren, later op de middag wappert haar dekbedhoes plus sloop lekker in de lentewind. Zal ze lekker slapen, vannacht. De geur van zon en wind vermengd met die van puur katoen. Omdat het zonnetje lokt, krijgen ook de ramen aan de buitenkant een beurt en dat mag echt geen overbodige luxe heten.

Sterre vindt het maar niets, zo'n druk rennend vrouwtje. Goed voor tijdens een wandeling, dan mag ze van haar best hollen en draven, net als ze zelf zo graag doet. Maar thuis, dan hoort ze op de bank of in een stoel. Mopperend kruipt Sterre in haar mand. Om wakker te schrikken als ze een stem hoort roepen, nadat de keukendeur met een

ferme zwaai is opengegooid. 'Mam! Waar zit je!'
De stofzuiger is niet te overstemmen. Noortje schrikt als ze in de gang opeens geconfronteerd wordt met Carmen. Ze drukt met een voet snel het apparaat uit en kan niet anders dan staren naar haar dochter. 'Jij... nou ja. Kom verder!'
'Wat ben jíj druk in de weer. Voorjaarskriebels...? Ik kom zeggen dat het me spijt dat ik gisteren nogal lomp ben geweest. Ik kan best uitleggen hoe dat komt... maar daarmee is het nog niet goedgepraat. Ik durf alleen te zeggen dat ik nogal... wat? uit mijn doen ben!'
Noortje kijkt omlaag en volgt met haar ogen het snoer van de stofzuiger dat zich automatisch oprolt. Een slang die in een nest wegkruipt, denkt ze dan altijd.
'Het is al goed, Carmen.' Ze wil niet zeggen: Ik begrijp je toch... en meer van dat soort dingen. Nee, Noortje is gisteren geschrokken en beseft dat het niet altijd zo vanzelfsprekend is dat ze 'goed' met elkaar omgaan. Ze is wat kopschuw geworden. Passen op je woorden, afwachten wat voor uitwerking ze hebben. In het vervolg een beetje minder zichzelf zijn tegenover de kinderen.
Carmen werpt een blik door de openstaande deur in de huiskamer.
'Ik had natuurlijk een bosje bloemen mee horen te brengen... maar ik zie dat je al voorzien bent. Nou ja... chocolaatjes. Toe, mam, kijk me nou aan. Niet langs me heen, dat is zo'n naar gevoel!'
Dat is weer echt Carmen. Noortje geeft haar een zoen en zegt dat ze verder gaan alsof er niets is gebeurd. 'Je hebt al genoeg aan je mooie hoofdje!' Carmen trekt een gezicht van: overdrijf niet zo!
'Thee, koffie? Wat anders?' Zelf heeft Noortje trek in thee met een Weesper mop. Ze loopt langs Carmen heen de keuken in en vult de elektrische waterketel.
Carmen leunt tegen de tafel, wrijft met beide handen over haar superplatte buik. 'Niet te geloven, mam, dat daar een kind groeit. Dat we allemaal zo mini-mini zijn begonnen. Enfin... ik heb vanavond een afspraak met Joris. En ik ben bang, ik weet het bijna zeker... dat hij van me af wil. Ik voelde de laatste keer al iets broeien. En nu ik

weet dat zijn vrouw ook een kind krijgt... Ik geloof dat ik hem eigenlijk ook niet meer zou willen...'
Carmen begint geluidloos te huilen op een manier waar haar moeder van schrikt. 'Kindje dan toch...'
Carmen snikt op haar moeders schouder: 'En dan te bedenken dat ik zo van hem hou, mam... ondanks alles. Misschien wel meer dan zijn vrouw dat doet! Het leven is soms zo wreed...'
Noortje zou willen roepen: Begin dan ook niet iets met een man die een ring om zijn vinger heeft. De ring van een andere vrouw. Maar ze waagt het niet die woorden uit te spreken. Carmen weet zo toch al wel hoe ze over dat soort relaties denkt. En bovendien: het zal je maar gebeuren dat je verliefd wordt op de verkeerde man.
'Ga zitten. Dan krijg je thee van me. Hoe is het met de misselijkheid?'
Carmen schokschoudert. ''s Morgens is het nogal erg. Later op de dag valt het mee. Ik heb alles op internet opgezocht. Enerzijds geweldig, al die informatie. Maar ik weet nu ook hoe erg mis iets kan gaan!'
Carmen knikt en schenkt het kokende water in de theepot. Voor haar geen glazen met heet water waar je een zakje naar keuze in kunt dompelen.
'Heb je alleen gewone thee? Ik heb zo'n zin in kaneelthee...' klaagt haar dochter.
'Dan breng je die de volgende keer zelf maar mee!' vindt Noortje.
Tegenover elkaar, zittend aan de keukentafel, komt het gesprek vanzelf op gang, net zoals het altijd is gegaan.
Carmen vertelt over haar werk, de collega's en de nieuwe baan waar ze zegt zin in te hebben.
'Geweldige locatie, mam. Alles zo nieuw. Leuk team ook. Ik krijg een manlijke collega. En een stagière, dat vind ik ook prima. De manlijke collega is getrouwd... maar maak je geen zorgen. Het is meneer Saaie Piet in eigen persoon. Bovendien heb ik mijn lesje geleerd. Tja, het zal schrikken zijn als ik met mijn nieuws kom. Maar voorlopig zie je er nog niks van. Ik ben zo plat als een dubbeltje. Mam, je moet een keer komen kijken op de zorgboulevard. Deftig, die naam. Maar het is zo

handig, alle zorg op een kluitje! Misschien is er voor jou ook wel een baantje als vrijwilligster. De thuishulp zit er ook!'
Noortje schudt haar hoofd en zegt dat ze het bij de particuliere instelling waar ze haar tijd aan geeft, het best naar de zin heeft.
'Behalve als je klantjes overlijden. Dat komt kei- en keihard aan, meisje. Niemand die je inlicht... enfin. Het is voorbij. Maar vandaag was het ondanks dat toch een goeie dag. Moet je luisteren...'
Sterre hoort vanonder de tafel haar naam noemen. Meerder keren zelfs. Ze tilt haar kopje op, houdt het schuin. Maar nee, ze wordt niet geroepen. Ze geeft een bijna onmerkbaar likje op een enkel van Noortje. Even contact.
Carmen schatert het uit. 'Mam, dat moet je Peter vertellen! Enig! Volgende keer moet je wat foto's maken. Je hebt toch een digitaal cameraatje... hoogste tijd dat je het gaat gebruiken ook!'
Tot ergernis van haar drie kinderen gebruikt Noortje nog steeds haar 'gewone' fototoestel. Destijds een ferme uitgaaf. Maar wat wil je... als alleenstaande ouder móet je gebeurtenissen zoals verjaardagen wel vastleggen. Om de herinneringen vast te houden. Er is geen partner waar je over 'toen' mee kunt napraten.
'Gelijk heb je. Wil je nog een kopje thee?'
Een bescheiden klopje op het raam naast de deur. Het gezicht van Bart vult precies één van de kleine ruitjes op. 'Heb je hém...' zegt Carmen en schiet gelijk rechtop, de rug tegen de leuning. Met de vingers duwt ze een paar haarslierten op de plaats.
'Kom verder!' lacht Noortje. Bart zal wel denken: Het is weer goed tussen moeder en dochter, vermoedt ze. Bart schopt zijn knalgele klompen uit en plant ze naast het opstapje.
'Ik kom nog een paar stekken brengen. Dag, Carmen!' Hij laat niet merken op de hoogte te zijn. Integendeel, hij lijkt zelfs wat afstandelijk naar Carmen toe.
Noortje pakt een kop en schotel uit de kast. 'Wat voor stekken? Ik moet de tuin ook niet te vol hebben, Bart!'
Bart woelt met een nogal vuile hand door zijn rode haardos. 'Het gaat

om kruipend spul. Als je dat onder je struiken zet, heb je straks minder onkruid te wieden. Ik weet wel wat ik doe. Tuinieren, mooi werk. Maar het moet wél in de hand gehouden worden!'
Dan gaan zijn ogen van de moeder naar de dochter. Hij grijnst naar Noortje. 'Ooit gehoord, Noortje, dat die jongedame daar sprekend op haar moeder lijkt? De manier waarop jullie je hoofd bewegen... de schouders ophalen, om maar wat te noemen...'
Carmen en Noortje kijken elkaar onderzoekend aan. 'Arme jij!' doet Noortje luchtig.
Carmen legt een smalle hand over die van haar moeder. 'Ik denk het niet. Als ik op jou lijk, mam, dan kóm ik er wel!'
Bart voelt zich overbodig en drinkt haastig zijn kopje leeg. Maakt nog een grapje over zijn moeders grote reis. Jawel, een Weesper mop lust hij nog wel.
'Bedankt voor de thee en tot kijk maar weer!' Buiten schiet hij in zijn klompen en even later horen ze hem over de tegels klotsen.
'Leuke man. Maar... mam... echt veel te jong voor jou, hoor! Hij scheelt wel tien jaar met je en denk eens aan de toekomst als je echt oud bent. Dan wil zo'n man nog van alles waar jij geen zin meer in hebt. Mam... je hebt toch niks met hem? Zoals hij naar je keek!'
Noortje kleurt uit pure verlegenheid. Want de woorden van Carmen raken haar best. Stel dát ze verliefd was op Bart, wat echt niet het geval is.
'Hoe kom je er bij. Ik voel me soms net zijn moeder. En hij weet dat ik erg met hem meeleef. Toen zijn vrouw overleed... dat was echt ellendig. En later dat gedoe met zijn moeder... ze is al tijden bezig een vrouw voor hem te zoeken, maar daar is hij nog niet aan toe. Ze nodigt allerlei types samen uit en als Bart dan thuiskomt, zit de kamer vol. Zie je het voor je? Af en toe kwam hij hier, was hij op de vlucht. En nu... nu gaat zijn moeder met vakantie. En hoe! Het is haar gegund. Ze heeft zo met haar zoon meegeleefd, en gedaan wat ze kon. Eh... nog meer thee? Dan moet ik weer zetten!'
Carmen bedankt. 'Tja, moeders... ik vraag me af hoe ik als moeder zal

worden. Ik krijg nog heel wat problemen, mam. Als het kind groot is, wil hij of zij weten wie paps is. "Ja, kind, dat is Joris, die charmante man die we in de stad wel eens tegen het lijf zijn gelopen. Ja, hij heeft een kind dat bijna net zo oud als jij is..."' Dan slaakt Carmen een gilletje. 'Mam! Bedenk ik opeens: de kinderen kunnen wel op dezelfde school terechtkomen! Of elkaar op een jeugdclub ontmoeten of zo. Je weet maar nooit hoe een balletje kan rollen. Stel dat ze verliefd worden, dat kan ook nog! Mam... ik ga emigreren, geloof ik!'

Noortje ruimt de theeboel op en zegt kalm dat Carmen gevoel voor drama heeft. 'Wat jij moet doen...' Stop, Noortje! houdt ze zichzelf abrupt voor. Ophouden met raad geven.

Maar Carmen reageert al als vanouds: 'Ja? Wat moet ik doen?'

Noortje geeft zuchtend toe, dan toch maar een goede raad. 'Per dag kijken wat er op je pad komt. En rústig, ik zeg rustig, voortgaan met dat wat je uitgestippeld hebt. Joris op de hoogte brengen. Je lichaam verzorgen... ach, je weet best wat ik bedoel!'

Dan lachen ze samen.

Carmen springt op. 'Ik heb nog veel te doen. Onder andere mijn preek voor Joris uit mijn hoofd leren. Weet je dat ik momenteel in staat ben de tekst en misschien zelfs de melodie voor een supersmartlap te schrijven?' Ze zwaait met haar slanke armen en improviseert: 'Huilen... míj laat je huilen, mijn liefste, mijn schat. Waarom... wahaharom...'

Noortje schudt haar hoofd. 'Wat let je. Extra bron van inkomsten. Zo uit het leven gegrepen.'

Dan trekt Carmen haar moeders hoofd naar zich toe en sleept haar mee naar de gang, waar boven een tafeltje een spiegel in vergulde lijst hangt. 'Hoofden naast elkaar... lach eens, mam, kijken of we zien wat een ander ziet...'

Ze lachen gelijk, zien niets nieuws bij zichzelf of de ander. 'Leuke man, die Bart. Denk je dat hij voor mij te oud is?'

Noortje schrikt. Als Carmen maar geen ondoordachte dingen gaat

doen. Kalm, zo kalm als ze kan, zegt Noortje: 'Wat betreft de ware liefde, kind, doet leeftijd er niet toe!'
Carmen trekt een gezicht naar zichzelf in de spiegel. 'Dus toch!'
Dan krijgt Noortje een knuffel als vanouds en weg is Carmen.
Noortje luistert naar het ronken van haar snelle wagen.
'Sterre, vanavond kookt het vrouwtje niet. We gaan een stuk lopen en op de terugweg halen we een zak patattekes! Met een kroket.'
Sterre rekt zich uit, klautert uit de mand en springt blij tegen Noortje op. Kom, waar is de riem? Ze jankt van verlangen. Noortje is trots dat het dier en zij elkaar begrijpen, en dat met weinig woorden.
Het wordt een lange wandeling. Alle tijd om na te denken over de voorbije dag, de dood van de twee overledenen een plekje te geven en ook het gesprek met Carmen te laten bezinken.
En vreemd genoeg dringt zich de persoon van Stefan Korpershoek tussen elke gedachte in, alsof hij daar recht op heeft. Ze hóórt zijn zware stem, ziet zijn hele persoon voor zich. 'Het vrouwtje is nog dwazer dan haar eigen dochter...' mompelt Noortje tegen Sterre als de frietkraam in zich komt.
Een zweem van bloesemgeur komt haar vanuit een tuintje tegemoet. Noortje vist wat los geld uit haar jaszak en telt in haar hand de munten. 'Het zal door de lente komen, Sterretje!' Dan legt ze het geld op de hoge toonbank en doet haar bestelling.
'Komt voor elkaar. Wat je zegt. De lente... daar zijn we allemaal aan toe na de lange winter, zeg ik maar!' De frietboer tikt aan zijn witte pet en lacht breeduit naar zijn klanten.
Noortje krijgt een extra volle puntzak, kwistig met zout bestrooid. 'En met mayo, plus nog een kroketje. Alsjeblieft, vrouwtje, geniet er maar van!'
Lachend om eigenlijk niets accepteert Noortje haar bestelling en naar huis lopend dringt het tot haar door dat tevredenheid de basis voor geluk is.

9

De azalea van buurman Bart slaat aan. Noortje loopt door haar achtertuin, kijkt kribbig naar het opkomend onkruid. Waarom heeft ze ooit speenkruid weggehaald uit een berm? Vertederd door de felgele bloemetjes? Ze weet het niet meer. Maar een feit is dat overal waar ze het niet wil hebben, dit gewas voortwoekert. Het is geen kwestie van hier en daar een polletje verwijderen... nee, ze zal er voor op de knieën moeten. Of wachten tot de eerste hete dagen. Dan verschrompelt het speenkruid waar je bij staat. Dus wieden, best, maar nog even niet.
Haar gedachten draaien om de boerderij van oom Piet. De tegenstanders zijn voor haar een stelletje vage personen die sterk staan vanwege de één of andere wet. Of omdat ze simpelweg de overheid vertegenwoordigen.
Afwachten tot er iets gebeurt, ligt haar niet zo best. Ze wil wat ondernemen. Maar ze is er nog niet precies uit wát! Ze zou het liefst contact opnemen met Stefan Korpershoek. Maar... er is iets wat haar tegenhoudt.
Moedeloos laat ze zich op een bankje neerzakken. Ze heft haar gezicht op naar de zon. Heerlijk, die eerste, echt warme stralen!
Stefan Korpershoek... het is nu of nooit. Ze wil er achterkomen wat haar weerhoudt om contact met deze man te zoeken. Misschien vreest ze zijn mening over haar? Is ze bang dat hij denkt dat ze hem naloopt, of onder de indruk van hem zou kunnen zijn?
Een hommel zoemt zwaar langs haar gezicht en zonder haar ogen te openen, zegt Noortje: 'Ga weg jij! Ik ben geen bloem!'
Hij, de hommel, moet genoeg hebben aan het bloeiende speenkruid. Stefan Korpershoek is geïnteresseerd in haar als medeslachtoffer. Vanuit die hoek kan ze hem benaderen. Per slot van rekening hebben ze samen een genoeglijke ochtend doorgebracht.
Noortje gordt zich aan. Misschien zou ze er goed aan doen Bart te

vragen mee te gaan. Ook al ziet Bart haar plannen niet meer zitten. Ze denkt aan haar vrolijk gebloemde laarzen, haar tuinbroeken. Waar is haar enthousiasme van het eerste uur gebleven?!
Boos op zichzelf staat ze op en klopt haar rok af. Het bankje is nog wintervuil, ziet ze.
Eerst maar eens zien of Bart thuis is. Dat zal wel niet het geval zijn, zo midden in de week. Dus... er toch maar alleen op afgaan. Misschien kan ze een smoesje verzinnen. Maar als ze aan de doordringende blik in Stefans ogen denkt, weet ze dat hij haar meteen dóór zal hebben.
Bart is aan het werk, zegt zijn moeder. En het kost Noortje moeite om Mevrouw De Wolf ervan te overtuigen dat ze geen tijd heeft voor een kopje koffie.
'Jammer, ik had je zo graag over de reis verteld!' zegt de oudere vrouw en op slag heeft Noortje een schuldgevoel.
'Ach... één kopje moet kunnen!' Mooi mens is ze: treuren over twee oude mensen voor wie ze niets meer kan doen. Komt er een ander op haar pad waarvan ze denkt: Die redt zich wel!, dan geeft ze niet thuis.
Mevrouw De Wolf begint te stralen en trekt Noortje over de drempel.
Het éne kopje koffie worden er vier en er wordt niet alleen over de reis verteld, er komen folders en zelfs een atlas die nog uit Barts schooltijd moet zijn geweest, aan te pas.
Als mevrouw De Wolf is uitgepraat over de reis, begint ze over de eenzaamheid van Bart, die toch eigenlijk weer aan hertrouwen zou moeten denken.
Noortje staat op. 'Dat vind ik ook. Laat hem maar eens een site op internet bezoeken. Het schijnt dat Amor daar veel werk heeft!'
Mevrouw De Wolf giechelt als een jong meisje. 'Zou je denken, Noortje? Maar ik denk dat het maken van een lange reis een goed alternatief voor internet is. Als je begrijpt wat ik bedoel!'
Noortje zegt het te vatten en haast zich naar huis. Straks heeft Bart misschien wel een stiefvader!
Ze roept Sterre en even later is ze de stad uit.

Boven de weilanden scheren kievieten. Teken dat de winter definitief voorbij is. Het maakt haar blij. En zie toch dat speenkruid langs de slootkanten eens...
Dan schieten haar gedachten weer naar Stefan. Hij laat zien dat er nog leven na een trauma is. Ze kan het zichzelf nauwelijks voorstellen, ook al heeft ze zelf het nodige meegemaakt.
Ze is niet voor niets, na het vertrek van Willem, níet op zoek gegaan naar een nieuwe man in haar leven. Terwijl die er best wel waren. Maar ze weet van zichzelf dat ze wat dat betreft één en al afweer was. Ze vergeleek iedereen met Willem. Ook al waren ze knapper dan hij wat uiterlijk betreft, sociaal hoger op de ladder, het deed haar niets. En nu... nu zou ze opeens vallen voor een man met uitstraling. Een man die Stefan heet. Zou ze het nu wél kunnen: haar leven delen met een ander? Haar huis, haar tafel en bed? Nee, eerlijk gezegd moet ze daar nog niet aan denken. Maar toch...
Ongemerkt nadert ze het terrein waar ze zijn moet. De Zuidmarke.

'Dáár ben je dus. Als geroepen. Ik heb je mobiel gebeld, je thuisnummer gedraaid. Ik dacht even, achterdochtig man als ik ben, dat je met opzet niet bereikt wilde worden!'
Stefan trekt Noortje over de drempel, bijna op de manier van mevrouw De Wolf, denkt ze. Sterre laat merken de weg naar de keuken nog te weten. Als ze geen drinkbak met water ziet staan, kijkt ze bijna verwijtend naar haar gastheer. Stefan vult het geblutste emaillen bakje tot aan de rand en nodigt daarna Noortje uit te gaan zitten.
'Héb je dan iets... ik bedoel: is er nieuws of zo?'
Natuurlijk moet er eerst weer koffiegezet worden. Wat Noortje doet denken: Het lijkt wel of wij mensen geen gesprek kunnen voeren zónder. Stefan lijkt haar gedachten te kunnen peilen. 'Je mag ook fris? Ik heb de koelkast gisteren nog bijgevuld!'
'Koffie is best!'
Noortje hangt haar vestje over de rugleuning van de stoel waar ze op gaat zitten. Ze volgt de bewegingen van haar gastheer en komt tot de

conclusie dat ze hem nog net zo aantrekkelijk vindt als voorheen.
'Ik ben naar een vergadering geweest van B en W. Eigenlijk had ik spijt jou niet meegevraagd te hebben. Maar goed, volgende keer beter. Er zijn inderdaad plannen in een vergevorderd stadium waar het college enthousiast voor is. Het idee voor een golfbaan... Het levert arbeidsplaatsen op. Bovendien kan het voor de omgeving een lokkertje zijn. Je weet niet hoe ik me voelde... een muis die tegen een leger olifanten probeerde te vechten. Het liep daar van een leien dakje, tot de opmerking gemaakt werd dat eerst een onteigeningsprocedure in werking gezet moest worden. "En dat zou nog wel eens moeilijk kunnen worden!" Ik zette me schrap, Noortje!'
Noortje krijgt haar koffie en knikt hem warm toe. Stefan lacht zijn donkere lach.
'Meid, het deed me goed om weer eens ouderwets te vechten. Niet eens om het resultaat... maar het idee dat je wílt vechten. Daar heeft het me lang aan ontbroken. Of eh... kun je dat niet volgen?'
Noortje heeft haar mond zojuist nogal gebrand aan de koffie en lacht zonder het hem te laten merken. 'Vanzelf kan ik dat volgen. Als je nergens meer voor wilt opkomen, jezelf afsluit, dan boer je achteruit! Ik weet er alles van. Ik zeg wel eens tegen mijn kinderen: Het is een zegen als je nog wat wílt. Ze begrijpen me niet, in dat opzicht niet en in méérdere opzichten niet. Terzijde... Ik zou zeggen: Ga door met je verslag! Ik hang aan je lippen!'
Ze bloost om die opmerking. Ze ziet het voor zich: zij, Noortje, met beide handen hangend aan die aantrekkelijke mond! Hoe komt ze op het idee.
'Maar al te graag!' Stefan verwoordt kleurrijk hoe het hem is vergaan en hij uiteindelijk – mede namens Wadee, Marie en haar dochter én Noortje, het woord deed. 'Je kon een speld horen vallen... wordt vervolgd!'
Noortje rimpelt haar voorhoofd. 'Er waren toch meer plannen? Er zouden wegen komen... nieuwe verbindingswegen? Stefan, als alles er hier maar niet zo verwaarloosd uitzag. Niemand raakt onder de

indruk van dit stelletje bouwvallen! Laten we eerlijk zijn...'
Stefan berispt Noortje als was ze een kleuter. Waar is haar moed, haar ondernemingslust?
'Je moet je plannen hard maken, ze aan het papier toevertrouwen. Ik zou zeggen: kom eens een avond hier. Ik wil ook wel naar jou toe komen, als je me zegt hoe ik moet rijden. Dan maken we samen voor jou een plan. Wat trekt je het meest? Dieren, mensen? Een combinatie?'
Noortje vertelt spontaan over haar bezoek aan de inrichting waar demente bejaarden verzorgd worden. 'Je had moeten zien hoe ze opleefden door de aanwezigheid van Sterre! Ze werden, ja... blij! Er kwam leven in hun uitgebluste ogen!'
Stefan veegt met een hand nadenkend over zijn kin, die nodig geschoren moet worden. 'Ik zie het voor me. Dat is ook zo met muziek. Muziek kan mensen vrijmaken uit hun zelfgekozen gevangenschap. Ik weet het uit ervaring. Eh... ben jij ook een mens die in staat is te bidden tot God... om ondersteuning van je plannen, of om invulling ervan?'
Noortje knikt. 'Ook al moet ik zeggen dat ik soms denk: Waarom zou de grote God, Schepper van hemel en aarde, zich daarmee bemoeien?'
Stefan zegt kalm dat het lot van ieder mensenkind Hem aangaat. 'Vraag me niet dat te begrijpen. Ik wéét alleen dat het zo is. Ik heb een vriend, die zegt te geloven in een hogere macht. Of dat nou de God uit de Bijbel is, Allah of weet ik wie. Kijk, dan kom je niet ver. We moeten niet van ons spoor afwijken. Misschien is het de bedoeling dat jij iets op poten zet waar behoefte aan is.'
Hij aarzelt even. 'Bid je in je leven om leiding? Durf je aan God over te laten wat zijn bedoeling is? En... als het lijnrecht tegenover dat wat jij graag wilt komt te staan, gehoorzaam je Hem dan ook nog?'
Noortje voelt zich opgelaten. Ze durft niet toe te geven dat ze meestal niet zo diep doordenkt en voelt. Bovendien: hier zit wél een man tegenover haar die het nodige heeft meegemaakt in zijn leven. Hij heeft recht van spreken. De diepste dalen waren zijn deel. En die

afschuwelijke herinneringen kan niemand hem laten vergeten. Ook niet die heel erge, welke zijn vrouw en kinderen het leven hebben gekost.
Er valt een stilte in hun gesprek. Noortje heft haar hoofd op, kijkt hem schuw aan. 'Ik weet niet... ik ben nog niet zover als jij, denk ik... mijn geloof is soms zo nietig!'
Stefans lach buldert. 'Daar gaat het niet om. Ik bedoel: niet de gróótte van jouw geloof is belangrijk, maar de kern: geloof jij in die grote God? Als je dat doet, zit je op het rechte spoor. Maar kom, laten we teruggaan naar het doel van je komst. Je moet er allereerst uit zien te komen wat je ten diepste graag zou willen met je bezit!'
Noortje kán niet anders dan daaraan denken. Bijna dag en nacht. Er zijn zoveel mogelijkheden, maar als het er op aankomt is misschien niet één idee uitvoerbaar. Uiteindelijk belt ze Gerdien. 'Heb je tijd... ik zou graag even langskomen om over de boerderij te praten. Er komt zoveel bij kijken...'
Gerdien heeft niet alleen tijd, ze zegt zich te verheugen op haar moeders komst. 'Dan kun je gelijk kennismaken met mijn nieuwe collega. Martijn, de Belg, weet je wel?'
Noortje brandt van nieuwsgierigheid. Het klinkt zo serieus.
Ze maakt zich klaar, trekt een schoon shirt aan en besluit dat de spijkerbroek er nog mee door kan. En nee, Sterre, je mag niet mee!
Het laatste gesprek met Stefan wil niet uit haar gedachten. Ze benijdt hem om zijn vaste geloof waar geen plek is voor welk soort twijfel er ook in hem op mocht komen.
De flat van Gerdien doet niet onder voor die van haar zus. Tenminste, wat betreft de locatie. De inrichting ervan is helemaal Gerdien. Modern, smaakvol. Nergens overbodige prullaria, zoals bij Carmen het geval is.
'Mamma! Kom binnen, lieverd. Wat zie je er goed uit. Alsof je uren in de zon hebt gezeten!' Gerdiens begroeting is hartelijk zoals altijd. Noortje gluurt over haar schouder om te zien of de Belg al in beeld komt. En ja, hij komt de hal binnengestapt met een halfvol glas cola

in zijn hand. 'Daar zullen we de moeder hebben!' zegt hij op warme toon. Hij legt een hand op de schouder van Gerdien. 'Ze heeft al zoveel over haar mamaatje verteld. Mag ik Noortje zeggen?'
Dat mag. Noortje drukt zijn hand en zucht van opluchting: dit is een 'nette' vent. Zo op het oog iemand aan wie ze haar dochter durft toe te vertrouwen.
Wat een gedachte... ze berispt zichzelf. Er vált niets meer toe te vertrouwen. Gerdien is volwassen en maakt zelf wel uit wie haar vrienden zijn. Ach ja, Noortje vergeet nog wel eens dat ze wat betreft het leven van haar kinderen, aan de zijlijn thuishoort.
Nauwelijks zit ze op de bank of Gerdien vuurt vragen op haar af. Mam moet weten dat ze op de redactie aan het brainstormen zijn over het onderwerp: Kunnen – en wíllen ouderen nog wel iets ondernemen?
Hebben ze succes? Hoe zien ze zichzelf in het raam van de hedendaagse tijd?
Noortje drinkt gulzig haar cola op. Ze wordt gevoelsmatig heen en weer geslingerd. Enerzijds: waarom zou je niét, ook al ben je de vijftig gepasseerd, iets kunnen bereiken? Wat kunnen betekenen voor een ander? En... moet het een vraag zijn of je wel of niet in de 'hedendaagse' tijd past?
Ze haalt een paar keer diep adem, daarna gooit ze de verwijten er uit. 'Jullie jongeren doen net alsof jullie het alleenrecht op deze eeuw hebben. Ouderen tellen niet meer mee, alsof we een getolereerd verschijnsel zijn. Waarom zouden bepaalde dingen ouderen niét lukken en wordt het als bijzonder gezien als ze hun schouders ergens onder zetten? Als je het mij vraagt, is er iets mis met de hedendaagse opvattingen over het ouder worden. Iedereen wil het worden... niemand wil het zijn. Die kreet ken je toch? En dan de kostbare ervaring die oudere mensen hebben. Dat leer je niet uit boekjes!'
Martijn klapt geluidloos in zijn handen. 'Bravo, Noortje. Jij klinkt goed, prima zelfs. Mijn moeder zegt altijd dat toen zij jong was, de jeugd niet meetelde. Toen waren het de ouderen die de kar trokken

en het respect verdienden. Laat maar eens horen wat je voor schone plannen hebt. Gerdien vertelde over de boerderij van je oom Piet!'
Gerdien verontschuldigt zich. Noortje mocht eens denken dat ze met haar moeders plannetjes anderen en zichzelf amuseerde!
'Het komt erop neer dat ik genoeg plannen heb om te verwezenlijken...'
Ze houdt een hand boven haar glas. Bedankt, niet nog meer cola. Martijn vraagt of Gerdien voor hem nog een glas 'fruitsap' heeft? Noortje vertelt zo summier mogelijk wat er alzo in haar is opgekomen, doet het contact met Wadee, Marie plus dochter en Stefan Korpershoek uit de doeken. Martijn knikt goedkeurend. Gerdien lijkt beslist op haar moeder wat betreft ondernemingslust.
'Alleen Stefan ziet iets in exploitatie van huis en grond. De anderen zijn net levende doden. Afwachten, achter de ramen toekijken of er wat verandert. Het zal hun tijd wel duren.'
Al pratend wordt Noortje enthousiast. Ze vertelt over Sterre en de demente bejaarden. 'Dus ik dacht: Misschien is het niet zo gek om een tehuis te openen voor een kleine groep mensen die nog wel een kleine taak op zich kunnen nemen... wat tuinieren, in huis bezig zijn, dieren verzorgen. Ik denk dat er best vraag naar dit soort zorgboerderijen is. Ook al kun je maar een beperkte ruimte aanbieden...'
Martijn knikt, zegt enthousiast te zijn over wat Noortje vertelt. 'Kunnen we de handen ineenslaan? Is het mogelijk dat Gerdien en ik je adviseren... misschien daadwerkelijk iets betekenen? Na het ontvouwen van een plan moet je naar de instanties. Maar dan moet het idee vaste vorm hebben... je moet wat kunnen laten zien. En dat wij, als redacteuren, er aandacht aan geven, is misschien wel een extra poot onder het gebeuren! Niet langer nadenken, maar klappen!'
Gerdien haast zich te zeggen dat het woord 'klappen' niets anders dan 'praten' betekent.
Hulp uit onverwachte hoek. Gerdien haalt een blocnote tevoorschijn, gewapend met een pen gaat ze aan tafel zitten.
'Mam... we noemen het voorlopig een 'zorgboerderij'. Onze Peter kan

wel voor dieren zorgen. Hij wil toch zo graag een kleine kliniek naast zijn praktijk? Jij hebt de ruimte... je kunt meer dan één plan realiseren. Kunnen we snel een kijkje gaan nemen? Ik ben ook zo benieuwd naar die Stefan Korpershoek! Dat is een bekende naam in de muziekwereld, mamma! En jij knoopt maar zo vriendschap met die man aan. Enfin... laten we zaterdagochtend reserveren voor een kijkje bij de boerderij van oom Piet. Ik, wij, kunnen er wel achter komen welke officiële wegen we moeten bewandelen. We moeten goed beslagen ten ijs komen. Want je hebt er niets aan als op het laatste moment er bulldozers komen om de plannen letterlijk én figuurlijk met de grond gelijk te maken!'
In de loop van de avond wordt het Noortje duidelijk dat Gerdien en Martijn bezig zijn méér dan vrienden te worden. Ze is er blij mee. Ze waardeert de humor van Martijn, zijn taalgrapjes doen haar schateren.
En als Gerdien tracht het Vlaams te imiteren, lacht Noortje zich tranen.

Gerdien en Martijn brengen Noortje naar haar auto en zwaaien haar, met de armen om elkaar heen, uit. 'Duidelijk!' zegt Noortje hardop tegen zichzelf.
Ze is tevreden met wat er die avond op papier is gezet. Nu heeft ze iets om aan Stefan te laten zien. Het is nog niet te laat om hem te bellen. 'Zeg het eens, meisje!' zegt hij alsof hij alle tijd van de wereld heeft. Op de achtergrond hoort Noortje stemmen, er wordt muziek gemaakt, gelachen ook.
'Stoor je er niet aan.' Stefan loopt met zijn mobiel weg van de musici en luistert belangstellend naar wat Noortje zoal vertelt. Als ze stilvalt, zegt hij: 'Dus je bent er nu uit. Een zorgboerderij... misschien ruimte scheppen voor een dierenkliniek. Zie ik persoonlijk wel zitten, Noortje. Wanneer zei je dat je met je dochter en haar vriend een afspraak hebt? Zaterdagochtend. Schikt mij prima. Kom dan hier langs, dan steken we de koppen bij elkaar!'

Noortje kan van opwinding niet slapen. Plannen maken, dat is een teken van leven. Niks geen oude ogen. Ze duwt de gedachte dat Gerdien en Martijn alleen belangstelling voor dit alles hebben vanwege een goed artikel, van zich af. Nu niet de boel bederven door achterdochtig te worden!
Ze kan niet wachten tot het zaterdag is!

10

BEZIG BLIJVEN MET HET PROJECT... OOK AL VALT ER NIETS TE DOEN. Maar: je oriënteren is ook bezig zijn. Dus staat een bezoekje aan Harm Wadee op Noortjes programma!

Ze vindt Harm bezig in zijn achtertuintje. Een stukje grond is keurig omgespit en de paadjes zijn geschoffeld. Het onkruid ligt op een bergje aan de kant. Met zijn voeten die in klompen zijn gehuld, stampt hij de grond aan. Lange stokken staan als wigwams tegen elkaar gebonden, klaar om de ranken van snijbonen te leiden.

'Dag Harm!' zegt Noortje opgewekt. Ze heeft Sterre aan de riem bij zich. Haar blafje overstemt Noortjes groet.

Harm richt zich op, zet zijn handen in de zijden. 'Zo, de nieuwe buurvrouw. Daar doe je goed aan. Ik hoopte al dat je een keertje zou komen... ik ben ook gaan nadenken over alles hier!' Hij maakt met één arm een wijde beweging. 'Het is toch erfgoed. Zonde om dat zonder meer aan de eerste de beste te verkwanselen. Kom mee naar binnen, dan doen we een bakkie!'

Noortje zegt wel zin te hebben in een 'bakkie'.

Harm zit op zijn praatstoel. Terwijl hij handig bezig is beiden van koffie te voorzien en Sterre een kom water te geven, vertelt hij over hetgeen hijzelf heeft ondernomen.

Je moet van Marie niks verwachten. Die zit haar tijd uit, om het plat uit te drukken. Geen leven in dat mens, nooit geweest ook. Hoe ze ooit aan die dochter is gekomen... haha! Maar ik, ik ben gaan nadenken over wat ik zelf nog wel aardig zou vinden. En dat is het volgende...'

Drie 'bakkies' later weet Noortje het. Harm heeft contact gezocht met het plaatselijk asiel. Hij herinnerde ooit gelezen te hebben dat de beschikbare ruimte veel en veel te klein is, vooral tegen de tijd dat de zomervakantie begint. 'Dan moeten sommige mensen van hun kat af. Nou ja, die zetten ze gewoon ergens op straat. En de honden binden

ze vast, hier of daar. Schande. Dus ik dacht: Hier kan Harm wat aan doen! Jawel, mevrouwtje! En wat denk je?'
De koffie wordt hoorbaar weggeslobberd. Noortje vergeet zich aan zijn manieren te ergeren, ze hangt aan zijn lippen.
'Reken maar dat ze belangstelling hebben. En het mooie is dat de leiding daar beste maatjes met de gemeente is. Ik heb al een paar van die jongens over de vloer gehad. Ze hebben lopen meten en kijken... toen ik zei dat ik er niet aan hoefde te verdienen, had je ze moeten zien glimmen! Maar zo is het toch? Wat heb ik nou nog nodig? Een beetje vertier om het huis, dat lijkt me toch wel wat, en dat is jouw schuld, meissie!'
Krijgt ze maar zo ergens de schuld van. Noortje bloost, pijnlijk getroffen. Maar Harm Wadee bedoelt het opperbest.
'Jij en die snuiter die je bij je had, hebben me de ogen geopend. En dat lekkere diertje van je. Kom eens hier, kom ês bij de baas!'
Toe maar, bombardeert Wadee zichzelf tot baasje van Sterre. Sterre komt kwispelstaartend op hem af, pootjes op de modderige knieën van zijn ribfluwelen broek.
'Zo'n beessie... daar kan geen vriendschap van een mens tegen op. Maar goed... die lui, vrienden van het asiel, doen officiële stappen. Ze willen kennels bouwen, een terrein afzetten voor de honden, zodat ze los kunnen lopen, en meer van dat soort voorzieningen. Ze hebben een potje met centen... mooi is dat. Want voor niks gaat de zon op, zeg ik dan maar!'
Noortje ziet het vóór zich. Een asiel, een stuk af van de bewoonde wereld. Niemand die overlast van het blaffen heeft. Alleen: de instanties. Misschien heeft de gemeente liever een fraaie golfbaan. Met hotel.
'Stefan Korpershoek en ik zijn ook bezig, Harm!' Noortje hoort zelf hoe intiem dat klinkt. Stefan en ik. Net zoiets als 'Gerdien en Martijn'.
Harm Wadee wil graag horen waar het om draait.
'Ja, als we samenwerken, kan er wat van de grond komen. Meissie, ik heb er opeens zo'n zin in! Tot voor kort dacht ik nog: Een ouwe vent

als ik hoort er niet meer bij. Dat soort dingen. Net als Marie, weet je wel, achter de geraniums op je dood wachten. Nou denk ik: Ik kan net zo goed doorploeteren en een aardig leven hebben, dan stil mijn tijd af te wachten... haha! De Zuidmarke... binnenkort tellen we weer mee. Komen we op de kaart te staan!'

Noortje zegt gelukkig met zijn plannen te zijn en het spijt haar dat ze er niet eerder van heeft gehoord. Ze doet verslag van haar visite bij de dames Schuilenburg.

Harm schudt zijn hoofd. 'Die hebben nog nooit wat met anderen te maken willen hebben. Die ouwe vrouw moest bedenken dat haar dochter raar komt te zitten als zij uit de tijd is. Ja toch? Maar ja, nou is het te laat om ze uit de klei te trekken, denk ik!'

Noortje houdt haar hoofd schuin en zegt dat er misschien nog hoop is.

'Wie weet kunnen we hen ook activeren tot iets! Zoals ze nu leven... een middeleeuws bestaan. In mijn ogen dan!'

Harm kijkt verlangend naar buiten. Wat hem betreft is de audiëntie afgelopen. Hij staat moeizaam op, krabbelt Sterre achter haar zijdeachtige oren en zegt dat 'alle mensen met een ander soort ogen' elkaar en de wereld bezien. 'Jij bent in mijn ogen een kippie dat pas komt kijken. En in die van Marie misschien een kind dat van toeten noch blazen weet. Maar pak een jong mens van de straat: die zal zeggen dat je een ouwe tang bent. Eéntje uit de ouwe doos. Zo betrekkelijk is de mening van een ander, meissie!'

Noortje kan niet anders dan instemmend knikken. Ze zegt nog even een kijkje in zijn groententuintje te willen nemen. Dat laat Wadee zich geen twee keer zeggen. Dit komt hier, dat komt daar. Tomatenplantjes kweekt hij op in de voorkamer, waar de hele dag de zon op staat. 'Als-ie schijnt.'

Er is al spinazie gezaaid. En radijs. 'Je kunt gratis en voor niks groenten bij me komen halen! Verser krijg je het nergens! Alleen de aardappels... ik heb een nieuw soort besteld. Die van vorige zomer waren niet te vr... te eten!'

Met een lachend gezicht en een blij hart neemt Noortje afscheid. Nu heeft ze een reden om even bij Stefan langs te gaan. Tot haar spijt treft ze hem niet thuis. Moed om nogmaals een bezoekje aan de dames Schuilenburg te brengen, heeft ze niet.
Maar: haar doel was de boerderij, háár boerderij, nogmaals vanbinnen en vanbuiten aan een onderzoek te onderwerpen!
Het onkruid heeft zich nog net niet een weg naar binnen gewoekerd. Het is troosteloos om te zien: de vergane glorie die in niets herinnert aan de mooie foto's die ze van Marie heeft gekregen. Maar ze moet dóór de rommel heen kijken. Met de ogen van een projectontwikkelaar! En dan, dan zie je heel andere dingen...

Vlak voor Noortje het voor gezien wil houden, blijft ze in de pronkkamer – zo noemt ze het mooiste vertrek van het huis – voor het bevuilde raam staan. Het uitzicht is zo de moeite waard. Ongelofelijk dat deze locatie toch zo dicht bij de stad ligt. Bij de bewoonde wereld. Ze droomt weg. Tot ze opschrikt van een stofwolk, net voorbij de boerderij van de Schuilenburgs. Ze hoort de motor van een auto ronken, even later valt het geluid weg en zakt het opgewaaide stofzand. Een busje, waaruit twee mannen stappen. Gewapend met klemborden en meetapparatuur. Ze praten luid, maar Noortje kan hen in huis niet verstaan. Ze slaat ze verstard gade.
Naast elkaar lopen de twee over een overwoekerd pad, wijzen, gebaren en schrijven. De één haalt een camera tevoorschijn, de ander plant een driepoot op het pad en gluurt door een venstertje.
'Nee!' zegt Noortje zacht. En dan schreeuwt ze het bijna uit: 'Nééé!'
Ze zou die kerels kunnen vragen wat ze hier doen, denken ze het recht te hebben op andermans grondgebied metingen te verrichten?
Er ontwaakt iets in Noortje wat ze niet herkent. Een soort oergevoel. Hier moet iets verdedigd worden.
En reken maar dat ze dat zal doen!
Samen met Stefan en Harm Wadee!

'Kalm blijven! Ik heb die mannen al eerder waargenomen. Kwartiermakers noem ik ze. Tot op heden is er nog geen leger geformeerd dat ons angst kan aanjagen. Er zal, in het ergste geval, nog een grote hoeveelheid papierwerk aan vooraf gaan, Noortje!'
Noortje staat met Sterre stijf tegen haar benen aan, voor een raam in de boerderij van de inmiddels thuisgekomen Stefan Korpershoek. Hij is naast haar komen staan en legt zwaar een hand op haar schouder. Ze is dit soort aanrakingen niet gewend. Meestal duikt ze weg wanneer een man te dichtbij dreigt te komen. En nu... nu houdt ze nog net niet haar adem in. Noortje begint te rebbelen. Over haar ene dochter die met een vriend een kijkje wil komen nemen. 'Ze werkt op de redactie van een tijdschrift voor vijfenvijftigplussers... ze zegt dat ze een thema hebben over wat ouderen alzo tegenkomen wanneer ze iets willen starten. Maakt niet uit wat. Ze was dolblij toen ze vernam dat haar mam wilde plannen heeft!'
Stefan lacht zijn gulle lach. 'Wie weet, snijdt het mes aan twee kanten. We kunnen wel wat publiciteit gebruiken! Kom, staar niet langer naar die ambtenaren. Ze doen simpelweg hun werk. Misschien komen de resultaten op het bureau van hun baas en wordt er in maanden, misschien jaren, niet naar gekeken!'
Dat is Noortje te optimistisch. 'Ik heb zo'n opgejaagd gevoel. Alsof we haast moeten maken!' Stefan lacht haar niet uit.
'Kom, dan laat ik je zien welke plannen ik nog meer heb uitgewerkt. Gisteravond laat heb ik een stukje opgesteld dat de wereld in moet. Allereerst naar de gemeente. Daarna naar eventuele belanghebbenden.
Wil je het lezen?'
Het wordt opnieuw een gezellig samenzijn en Stefan belooft vandaag of morgen bij Noortje langs te komen om háár plannen op schrift te stellen. 'En zorg dat je dochter en schoonzoon ook van de partij zijn!'
Noortje kleurt plaatsvervangend. 'Zover is het nog niet. Ik bedoel: Gerdien heeft Martijn voorgesteld als een vriend. Maar ze stralen wel iets van verbondenheid uit...'

Stefan plaagt dat hier de wens de moeder is van de gedachte.
Noortje kan het niet laten af en toe naar de mannen te kijken en ze vraagt zich af hoe hun gesprekken verlopen. 'Zie toch... Harm Wadee komt op hen af! We hebben allemaal onze eigen redenen om actie te voeren!' zegt Noortje vurig. Stefan trekt haar opnieuw weg bij het venster.
'Luister liever naar mijn nieuwe compositie. Ik heb 'm op de band. Het orkest is ingespeeld. De solisten komen later. Ik zal de melodie voor je op de piano spelen. Kun je horen hoe het er ongeveer uit zal zien. Ik bedoel ermee: hoe het zal klinken. Voor mij is muziek zichtbaar, ook al klinkt het jou waarschijnlijk vreemd in de oren!'
Noortje gaat met haar rug naar het raam zitten en dwingt zich tot luisteren. De muziek is feitelijk te luid voor de ruimte. Sterre neemt de benen en trekt zich terug in de keuken, onder de tafel.
Stefan mag zichzelf dan geen pianist noemen, zijn spel is evengoed ver boven de middelmaat. Dat is nog eens wat anders dan haar gestuntel, ze 'vermoordt' een sonatine meer dan ze hem speelt.
Noortje luistert, ze gaat volledig op in de melodie die een vermenging van oud en nieuw is
Als de laatste akkoorden wegvallen, blijft Stefan gebogen zitten achter de vleugel. De handen rusten nog op de toetsen, alsof ze er op vastgelijmd zitten. Noortje durft niet als eerste te spreken.
Stefan ontwaakt uit zijn concentratie.
'Dat was dus "Noortje". Zo heb ik de compositie genoemd, met instemming van de andere musici. Of jíj moet bezwaar hebben?'
Noortje stamelt iets onverstaanbaars. Alleen het 'waarom' komt bij Stefan over. Weer die warme lach.
'Omdat jij me inspireerde, meisjelief.' Hij onderbreekt zichzelf. 'Kijk wie we daar hebben! Onze Swiebertje wandelt mijn pad op! Ben benieuwd wat hij te melden heeft!'

Gerdien belt elke dag. Puur uit nieuwsgierigheid of mam al stappen heeft ondernomen. 'De redactie was unaniem enthousiast, mam!

Zaterdag neemt Martijn zijn camera mee. Je voelt je toch niet geclaimd? Of zoiets...?'
Noortje roept van 'nee!' maar voelt 'ja!' Het is háár plan, maar langzaamaan begint het haar door de vingers te glippen.
Martijn en Gerdien komen zo vroeg dat ze met Noortje meeontbijten.
Martijn vindt het gezellig, zegt meestal een boterham uit het vuistje te eten. 'En een tas thee in de andere. Hoewel mijn goede moeder mij dat anders heeft geleerd.'
Gerdien en hij gaan ontspannen met elkaar om, Noortje kan er niet goed hoogte van krijgen in welk stadium de vriendschap is.
Later op de ochtend rijden ze in de stoere wagen van Martijn naar de Zuidmarke.
Gerdien verbaast zich over het feit dat ze nog nooit deze richting is opgegaan. 'Terwijl we hier toch ons hele leven al wonen. Maar ik wist niet dat achter dat toch saaie gebied zoveel moois te zien is! Of komt het doordat het lente is?'
Noortje voelt trots. 'Het is de rust, de ongereptheid. Ook al is dat natuurlijk in vroeger tijden anders geweest. Dat heb je op de foto's van Marie Schuilenburg kunnen zien. Boerderijen in bedrijf. Maar het is volgens mij wél altijd een kleine gemeenschap geweest. Een soort enclave!'
Noortje beseft heel goed dat Gerdien alles met andere ogen beziet dan zij. Het gaat er hun om of er een goed verhaal in zit.
'Waar woont die Marie met haar dochter, mam?'
Noortje wijst. 'Achter die peppels, daar is het. Kijk toch, er bloeien vruchtbomen opzij van het huis. Heb ik vorige keer niet gezien!'
Martijn mindert vaart en zegt dat die oude bomen alleen gered kunnen worden als ze vakkundig gesnoeid worden. Hij begint een verhandeling over bouwstijlen. 'Jullie boerderijen in de kop van Noord-Holland zijn totaal anders dan die je hier ziet. Dit is toch meer het Gelderse type. En dan heb je ook de Friese boerderijen nog, en die uit Groningen. Dat zijn pas villa's!'

Gerdien plaagt hem: Hij heeft vast, als klein jochie, een spreekbeurt gehouden over de Nederlandse boerderijen.
'Ze gluren vanachter de gordijntjes. En welke is nu van ons?' Noortje wordt er warm van om het hart. 'Van ons!'
'Die daar. Het dak moet gerepareerd worden... en van dichtbij zie je alle gebreken meteen. Maar toch...'
Gerdien pakt Noortjes hand. 'Mam... het is een geweldig mooi geheel. Die stallen... ik zie je gasten daar al lopen, misschien rijden ze zelfs paard. En voeren de geitjes... Mam, groenten en fruit kun je zo aan de supermarkt slijten. Biologisch eten is in. Misschien wil één van ons wel op de markt gaan staan! Het is volgens zeggen niet alleen gezonder, maar ook veel lekkerder!'
Ze stoppen waar het pad niet meer geschikt is om te rijden. Noortje houdt haar sleutel omhoog. 'Ik kan niet wachten jullie alles te laten zien!'
Gerdien lacht schaterend als ze de afmetingen van de sleutel ziet. 'Maakten ze die vroeger echt zo groot...
Je zou krom gaan lopen als je daar een bos van in je jaszak had!'
Het wordt een vrolijke rondleiding. Martijn is enthousiast als hij de oude meubels bekijkt en betast. 'Ze zijn nog gaaf, Noortje. Je kunt ze verkopen voor veel geld, maar ik denk dat je ze het best kunt laten renoveren, voor zover dat mogelijk is!'
Gerdien is net als haar moeder: voor ieder venster verpoost ze een tijdje. Proeft de sfeer.
'Mamma, die rust... waar vind je dat nog? We gáán ervoor, niet, Martijn? We komen vast en zeker vaak bij je logeren!'
Noortje is zo blij met hun enthousiasme. Ze krijgt er zelf een kick van.
Nadat ze zorgvuldig heeft afgesloten, gaan ze te voet naar de boerderij van Stefan. 'Jullie zullen hem aardig vinden. Alleen... ik ben zelf erg voorzichtig met wat ik zeg en vooral hóe ik iets te berde breng. Je weet maar nooit of hij een link legt naar zijn verdrietige verleden!'
Gerdien geeft haar moeder een arm. 'Wees niet bang, mam. Die man

is waarschijnlijk wel het één en ander gewend. Ook al went het nooit: je gezin, je complete familie, verliezen. In één klap. Mam... je mag die man wel erg graag, nietwaar?'
Sterre rent voor hen uit en vindt een spoor. Noortje roept haar met dwingende stem terug. Ze voorkomt zo dat ze een antwoord moet geven en ach, Gerdien mocht eens wat denken van de blos op haar moeders wangen!

De ochtend verloopt zoals gepland en is erg gezellig. Het klikt tussen Stefan en de jongelui. Hij is dan ook gewend om met jongeren te werken. Martijn vraagt hem de oren van het hoofd, probeert de vleugel uit, maar komt niet verder dan de vlooienmars. Tot vermaak van Gerdien die zich nog de eerste notenbalken van een etude van Chopin – gemakkelijke zetting – herinnert en die uit haar hoofd weet te spelen.
Noortje helpt Stefan met het klaarmaken van de lunch. Hij heeft royaal ingekocht. Allerlei soorten kaasjes, vleesbeleg en verschillende soorten brood. Martijn biedt zijn hulp aan, zegt als geen ander spiegeleieren te kunnen bakken. 'Als je nog wat bacon voor me hebt... Ooit Vlaamse gebakken eitjes geproefd?'
Hij geniet duidelijk en roept herhaaldelijk dat het zo 'plezant' is.
Noortje komt oren en ogen tekort. Ogen om van de een naar de ander te kijken, oren om de kwinkslagen die over en weer gaan, te kunnen volgen.
Als ze aan tafel schuiven, roept Martijn: 'Eureka! Ik heb het! Knapzakwandelingen... van hieruit kunnen we wandelingen over het natuurgebied uitzetten. Alle deelnemers een knapzak mee met proviand!'
Gerdien proest het uit. 'Een boomtak over je schouder met aan het uiteind een boerenzakdoek, bedoel je? Het idee...'
Stefan vouwt zijn handen en zegt bijna plechtig: 'Als we maar een beginpunt hebben. Dan is alles en nog wat mogelijk!'
Daarna spreekt hij een kort gebed uit, vraagt om een zegen voor het heerlijke eten dat voor hen staat.

Gerdien heeft een geweldige ochtend, maar haar tweelingzus beleeft het tegendeel. Na veel heen en weer gepraat heeft ze eindelijk Joris zo ver kunnen krijgen dat ze iets kunnen afspreken.
Zoals gewoonlijk vindt de ontmoeting nogal ver van huis plaats. Nee, een hotel heeft hij niet besproken. Want morgen is er een kind jarig. En echt, hij kan het niet maken er die dag niet bij te zijn. Huichelachtig zegt Carmen het goed te begrijpen.
Hij haalt haar op vlak bij haar flat op een afgelegen parkeerplaats. Carmen realiseert zich dat dit de laatste keer is dat ze samen in zijn wagen zitten. Ze wilde dat ze, net zoals dat eerder het geval was, kon genieten. Onmogelijk. Ze wéét toch wat Joris haar straks gaat vertellen?
'Je bent zo stil!' klaagt hij als ze dertig kilometer van huis een dorp in rijden. Carmen knikt. Ze heeft geen lust in wat voor soort gesprek dan ook. Er komt bij dat ze zich verre van goed voelt. Kon ze Joris maar vóór zijn... hem overtroeven. Haar gedachten razen de mogelijkheden af. Het is net een computertje, daarboven.
'Leuke tent. Ligt niet zo op de vaste routes... ik dacht...' Joris stapt uit en maakt zijn zin niet af. Carmen is wat trager. Ze bekijkt de locatie op haar gemak. Inderdaad, een lief restaurantje in een bosrijke omgeving. Er zijn weinig bezoekers. Een stel jongelui zit buiten te zonnen, hun fietsen staan tegen bomen en een hek waarop een bordje met: Pas geverfd. Waarschijnlijk vergeten weg te halen.
Carmen haalt diep adem, de boslucht is zo zuiver. Ze wacht niet op Joris, maar wandelt regelrecht naar een zitje waar de zon volop schijnt.
Een familie met jonge kinderen komt naar buiten, één kind roept luidkeels: 'Pappa! Pappa, kijk dan wat ik kan!' Joris schrikt op, realiseert zich gelijk dat niet hij, maar de jonge vader wordt geroepen.
De man kijkt vertederd naar zijn kleine zoon die capriolen aan de buizen van een fietsenrekje maakt.
Carmen trekt haar mondhoeken omlaag. Ze kan Joris' gedachtegang volgen. Ze voelt iets van minachting voor hem. Zo slap van hem om

niet tijdig te kiezen. Wil ze hem nog wel? Ai, moeilijke vraag. Hij is zo aantrekkelijk om te zien. Zelfs het moedertje van het wilde jochie werpt een lange blik op Joris. Carmen kijkt weg, ze vraagt zich af waarom ze deze laatste ontmoeting wilde. Wat gezegd moet worden, kan net zo goed telefonisch.
Ze zint op wraak. Joris heeft het verdiend... vindt ze zelf. Ze moet hem de wind uit de zeilen zien te nemen.
Een serveerster komt de bestelling opnemen, wendt zich tot Joris. Automatisch noemt hij dat op wat ze gewoonlijk nemen tijdens dit soort uitjes. 'Koffie verkeerd en appelgebak. Met slagroom graag!'
Carmen walgt als ze aan slagroom denkt. Stel je voor dat hij voor de verandering nadenkt... vraagt of ze onpasselijk is. Wel, dat is zijn vrouwtje waarschijnlijk ook. Net als zij, iedere ochtend.
De zon is al warm, Carmen stroopt haar broekspijpen omhoog en ontdoet zich van haar vestje. Ze heft haar knappe gezichtje op naar de zon en voelt dat Joris naar haar kijkt. Opeens is daar een hand over die van haar. Ze krijgt een schokje, maar reageert niet.
'Daar is de koffie!'
Hun zwijgen is onplezierig.
De jongelui stappen op, rugzakken om en fietsen maar. Iemand voorspelt met luide en nogal dreigende stem dat ze nu een zeer heuvelachtig terrein gaan 'nemen'.
Opeens beseft Carmen dat ze nooit meer zo onbekommerd als die jongeren zal zijn. Ze wordt moeder. Er is een episode afgesloten.
Ze schuift de appeltaart van zich af en opeens is Joris één en al bezorgdheid. 'Je ziet zo wit... er is toch niets met je mis? Carrie?'
Carmen drukt haar zonnebril stijf tegen haar gezicht. 'Wát zou er mis kunnen zijn? Dat ik geen zin in slagroom heb, verontrust je? Ach... wij vrouwen willen toch slank blijven. Ieder pondje komt door 't mondje, Joris! En bovendien... ach, ik heb je wat te vertellen!'
Joris reageert stug met: 'Ik ook, lieverd!'
Kinderlijk roept Carmen: 'Ik eerst!'
Het leegdrinken van hun kopjes geeft even uitstel. Dan is Carmen er

uit. 'Joris, ik moet te biecht gaan. Ik heb je bedrogen. Eerlijk gezegd: ik wist niet dat ik het ín me had; dat ik dat kon, en ik moest steeds aan jou denken. Nu weet ik wat jij hebt doorgemaakt door een dubbelleven te leiden...'
Gezegende zonnebril...
Joris hapt naar adem en zegt langzaam dat ze wat duidelijker moet zijn. Nu de eerste leugen – Carmen noemt het een fantasietje – gezet is, volgt de rest vanzelf. 'Het begon op de verjaardag van mam... ze heeft een buurman, moet je weten, die weduwnaar is. Dus vrij man. En niet zo piep meer. Het ervaren type. Ik voelde... nee, ik kan het niet beschrijven. Alsof ik wérd geleefd. En ik was toeschouwster. Joris, lieve schat van me... ik ben zwanger, van hem dus!'
Joris klemt zijn handen om de leuningen van de stoel waar hij op zit. 'Dat meen je niet. Hoe kón je... Carmen dan toch! Wanneer is dat begonnen? Waarom heb je het niet eerder gezegd...? Je speelde met me!'
Carmen buigt haar hoofd. Er schieten haar zoveel lelijke antwoorden te binnen, dat ze schrikt van zichzelf.
'De spelregels kende ik al, van jou, Joris.' Kwetsen, pijn doen. Dat maakt de eigen pijn dragelijker.
Joris is beduusd. 'Had ik van jou niet verwacht. Maar enfin... het komt misschien wel goed uit. Ik word weer vader, Carmen. Een slecht moment om een scheiding aan te vragen, vind je niet?'
'Ben je er blij mee?' Heel even gaat de zonnebril af.
Joris haalt hulpeloos zijn schouders op. 'Zij wel. Ze is in alle staten van geluk, geloof ik. Achteraf vermoed ik dat ze gevoeld heeft dat ze me kwijt zou raken. Enfin, dat is nu niet meer nodig. Je doet me pijn, Carrie...'
Carmen zou willen gillen dat ze liegt. Hem omarmen met al haar liefde. Er welt een snik in haar omhoog, Joris merkt het en balt zijn vuisten. 'Het idee dat ik niet meer het recht heb om je in mijn armen te nemen. Carrie dan toch... dat we zo moeten eindigen! Weet je zeker dat het niet van... dat het van die buurman is?'

Geen antwoord, in plaats daarvan een haast dodelijke blik.
Carmen denkt aan haar kind, dat van haar niet mag weten wie de vader is. Nou ja... mocht er ooit narigheid van komen, dan kan ze altijd nog ingrijpen. Het zotte idee dat háár kind bijvoorbeeld een relatie met één van Joris' kinderen zou willen aangaan.
'Vertel over die man!' eist Joris.
Camen haalt haar schouders op en probeert zich Bart de Wolf voor de geest te halen. Hoe vaak heeft ze hem gezien? Twee keer? Misschien onbewust vaker, maar op hem gelet heeft ze pas op mams verjaardag.
'Hij heet Bart en is kinderloos. Nog wel... goeie baan, muzikaal ook nog. Woont tegenover mam. Dus ja... elke keer als ik mijn moeder een bezoekje bracht... de rest kun je raden!'
Joris blijft zijn hoofd schudden. Dat hij zich zó in zijn vriendinnetje heeft kunnen vergissen. Opeens vuurt hij een pijl af die Carmen doet schrikken. 'Weet je zeker, voor honderd procent, dat híj de vader is en niet ik?'
Carmen had die vraag verwacht. 'Zou je dat willen?' zegt ze schamper.
Joris haalt zijn schouders op, begint dan te lachen. 'Dat zou me wat moois zijn! Ik geloof dat ik me geen raad zou weten. Misschien thuis open kaart spelen? Ik weet het antwoord niet, Carmen. Wil je al terug?'
Carmen knikt, zegt nog even naar het toilet te willen. En daar, staande voor een spiegel, barst ze geluidloos in tranen uit. Raar, jezelf te zien huilen. Ze maakt een papieren zakdoekje nat en bet haar ogen. Koud water over haar polsen. Joris, lieve Joris dan toch... waarom moet het zo lopen?
Al te lang kan ze niet wegblijven. Ze peutert het elastiekje van haar paardenstaartje en gooit het haar naar achteren. Met de vingers van beide handen kamt ze haar haar, zo goed en zo kwaad als het gaat, in model. Knijpen in beide wangen maakt dat ze meer kleur krijgt.
Schouders rechten. Lachen, lach dan, clown! maant ze zichzelf. Zonnebril op. Uitvinding, dat ding.

Met opgeheven hoofd wandelt ze naar buiten, waar Joris naast de auto wacht. Hij leunt met een arm op het dak. Zijn colbert heeft hij uitgetrokken. Ongetwijfeld hangt het keurig aan de hanger achter de chauffeursstoel. Het overhemd met korte mouwen wat hij draagt, is Carmen onbekend.
Opeens kan ze zich niet meer beheersen en rennen haar voeten naar hem toe. Ze stort zich letterlijk in zijn armen, snuift zijn geur op en stop haar gezicht met bril en al tegen zijn borst. Als vanzelf glijden zijn armen rond haar. Hij legt zijn hoofd op het hare, het is allemaal zo vertrouwd.
'Kind dan toch...' murmelt Joris in haar haar. Zijn ene hand woelt door de blonde haren, de andere legt hij in haar hals. Zijn mond op de hare. Zo vertrouwd, zo vertrouwd. Zijn kus wordt inniger, ze gaan totaal in elkaar op. Vergeten is de nieuwe man in Carmens leven...
Tot een schorre kinderstem hen ruw terug trekt in de werkelijkheid.
'Kijk dan, Janneke, zo doen ze dat... dat heet tongzoenen. Ha... daar weet jij lekker nog niks van af!'
Joris en Carmen laten elkaar los, deinzen beiden achteruit. Joris verontschuldigt zich. 'Zie het als een afscheid. Want het was... het was zo goed tussen ons, liefste!'
De rit naar huis is voor beiden een kwelling. Carmen is zo moe als nog nooit eerder het geval was.
Joris rijdt haar regelrecht naar huis, niet zoals gebruikelijk naar de vaste plek waar hun afspraken beginnen en eindigen. Begónnen en eindigden...
Joris zet de motor af, haalt diep adem en kijkt Carmen recht aan. 'Waarom heb ik het gevoel dat je me nog wat wilt zeggen?'
Camen beheest zich met moeite.
'Dat was het dan, Joris. Je krijgt de rust in je leven terug. Vaarwel... maak er wat van!'
Ze stapt uit en smijt het portier achter zich dicht. Ze voelt best dat Joris haar nakijkt, maar ze ziet niet om. Het doet zonder dat al pijn genoeg...

Te bedroefd om te huilen.
Te moe om te slapen.
Te eenzaam om iets te ondernemen.
Lange tijd zit Carmen doodstil op de bank in haar gezellige kamer. Bart de Wolf, de man moest eens weten. Misschien kan ze hem ooit laten lachen om haar leugens. Want die man ziet er niet uit alsof er in zijn leven veel te lachen valt.
Zoals gewoonlijk wanneer Carmen het niet meer ziet zitten in het leven, besluit ze contact met haar zus te zoeken. Thuis krijgt ze geen gehoor. Natuurlijk, Gerdien is weer op sjouw.
Gelukkig staat haar mobiel aan!
'Hoi Ger, met mij. Ik heb je echt nodig. Nee.... Neehee... met het lijf is alles in orde. Ik heb het uitgemaakt met Joris. Ben je nu blij?' snikt ze.
'Waar zit je? Ga je naar mamma? Misschien kom ik dan ook wel. Me even door jullie laten verwennen en troosten... tot straks dan maar!'
Carmen frist zich op en kleedt zich om. De buitentemperatuur is aan het oplopen, tijd voor luchtiger kleding. Straks... over een paar maandjes, kan ze niets meer aan van wat in haar kast hangt. Raar idee toch.
Gerdien, haar steun en toeverlaat vanaf haar geboorte.
En als Carmen even later wegrijdt, richting haar ouderlijk huis, vraagt ze zich af hoe andere vrouwen het redden, vrouwen zonder tweelingzus!

11

Carmen is één en al verontwaardiging als ze verneemt waar haar moeder mee bezig is. 'En míj houden jullie erbuiten? Ger, hoe kún je? Ik dacht dat we alles deelden...'
Gerdien schudt haar hoofd, Carmens verontwaardiging is te dom voor woorden. 'Kind, soms lopen dingen gewoon zoáls ze lopen! We hebben heus geen geheimen voor je!'
Carmen werpt een boze blik op Martijn. 'Oh nee?' snuift ze.
Noortje kalmeert de gemoederen door te zeggen dat iemand Peter moet bellen. 'Dan hoef ik alles niet nóg een keer te vertellen.'
Peter is net klaar met een huisbezoek en zegt zelfs in de buurt te zijn. Tijd? Best wel, maar niet te lang. Martijn wrijft zich vergenoegd in de handen. 'Beste kerel, die Peer.' Voor het gemak laat hij de letter 't' weg uit de naam van de man die hij losjes zijn 'schoonbroer' noemt.
Het kan niet anders: ook Carmen en Peter zijn razend benieuwd naar mamma's geheime erfenis.
'Er zijn best mogelijkheden, mamma, maar als je tegen de overheid op moet boksen, geef ik je niet veel hoop. Ik wil je wel helpen waar mogelijk is. Een beetje uit eigenbelang...'
Noortje zegt dapper dat ze dat best kan begrijpen.
'Dat jullie zo positief zijn... ik dacht zeker te weten dat jullie alle drie me zwaar zouden uitlachen!'
Peter belooft Carmen dat ze morgen samen per fiets de locatie zullen bezichtigen. 'Je moet in conditie blijven, zusje. Dat is net zo met zwangere teefjes!' Carmen briest. Teefje, toe maar.
Peter is de eerste die vertrekt, met Sterre op zijn hielen. Ze hapt naar zijn broekspijpen, een smeekbede om aandacht. En die krijgt ze. 'Ze wordt zwaar, mam!' roept hij als hij Sterre optilt. 'Goed opletten wat je haar geeft. Krijgt ze wel genoeg beweging?' Noortje moet eerlijk bekennen dat Sterre meer autorijdt dan wandelt. 'Maar het is lente aan het worden. Dus lokt het buiten meer dan dat het geval was!'

Carmen roept dat ze binnenkort meewandelt. 'Goed voor moeder en kind...' Ze is door het dolle heen, lacht om niets en kwebbelt aan één stuk door. Haar moeder en zus denken de reden daarvan te kennen. Maar Carmen geeft niet prijs wat er in haar leeft. Ze gaat gelijk met Gerdien en Martijn naar huis. Zegt nog razend veel te doen te hebben.
'Ik begin algauw aan mijn nieuwe baan. Ik zie er naar uit, want de sfeer, zoals die nu bij ons is, maakt een mens ziek!'
Noortje kijkt haar bezorgd na. Ze heeft het gevoel Carmen kwijt te raken. Misschien dat Gerdien haar meer na staat en er is als ze echt in nood komt.
Het weekend gaat in een roes voorbij. Noortje heeft na het kerkbezoek bloemendienst, wat inhoudt dat ze het fraaie boeket dat vóór in het gebouw staat, naar een ziek kerklid moet brengen. Soms is het alleen maar afgeven, bijvoorbeeld vanwege de ernstige toestand van de patiënt. Dit keer is ze meer dan welkom, de zieke is herstellend en bovendien moeten de ziekenhuisbelevenissen er uit. Noortje zet zich gewillig tot luisteren. Dat is één van haar kwaliteiten: luisteren zonder de ander in de rede te vallen of te corrigeren.
Later op de dag komt er onverwachts bezoek. De zondag vliegt voorbij. En dan is het weer maandag...
Pas bij de koffie komt Noortje er toe het stukje dat Stefan heeft opgesteld, te lezen. Op sommige momenten – en dit is er één van – zinkt haar de moed in de schoenen. Zou het niet beter zijn
de boel te laten zoals het is en afwachten wat er gaat gebeuren?
Alsof het zo moet zijn, gaat de bel. Lang en onnodig aanhoudend. Ietwat geïrriteerd haast Noortje zich naar de voordeur.
Stefan. Zijn persoon vult bijna de gehele deuropening op. Noortje legt een hand tegen haar borst en hapt naar adem. 'Het is niet waar!' Ze lacht nerveus en vergeet Stefan binnen te nodigen.
'Aan de deur wordt niet gekocht en zo?' zegt hij laconiek, 's.v.p. geen reclames... geen onverwachte bezoekers?'
Noortje doet haastig een paar stappen achteruit. 'Ik ben zo verbaasd,

vandaar mijn reactie. Je bent zeker welkom!'
Hij kuiert op zijn gemak door de woonkamer, bekijkt de foto's. Het huwelijksportret houdt hij zelfs even in zijn handen. Hij schudt zijn hoofd. 'Ach, Noortje toch!' mompelt hij.
Dan moet de piano het ontgelden. Een paar akkoorden; hij schudt alweer zijn hoofd en kreunt als hij merkt dat de hoogste tonen nogal vals zijn. Maar als hij de minutenwals van Chopin aan de toetsen ontlokt, is daar niet veel van te horen. Noortje staat stokstijf stil, met twee versgezette kopjes koffie op een blaadje. Dus zó kan haar oude piano ook klinken.
Met een draai op de kruk keert Stefan zich naar haar toe. 'Wat zie ik daar liggen, meisje? "Kun je nog zingen, zing dan mee"!' Hij bladert in het vergeelde boek, grinnikt bij het lezen van sommige teksten. 'Ferme jongens, stoere knapen... foei hoe suffend staat gij daar... zijt ge dan niet welgeschapen...' De wijs kent hij zelfs nog.
'Mijn oma had dat boek ook en ja, ze zongen er samen uit, opa en oma. Dat hebben ze heel lang gedaan. Tot oma overleed. Leuk dat je het bewaard hebt, Noortje! Nostalgie!'
Het gesprek tussen beiden verloopt soepel, alsof ze zeer oude bekenden zijn. Maar ja, het hebben van een gemeenschappelijk doel haalt banden ook aan.
'Je hebt een geweldige dochter. En haar vriend mag ik ook wel.' Noortje springt op om een foto te pakken waar Carmen en Peter ook op staan. Maar op hetzelfde moment ploft ze terug in haar stoel. Het is onnadenkend om te pronken met je kinderen tegenover een man die de zijne is verloren. Ze kleurt. Stefan doet alsof hij daar de reden niet van begrijpt, praat door. Over Harm Waadee, die wakker geworden schijnt te zijn. 'Die man verdedigt zijn huis en hof met een elan dat een grootgrondbezitter waardig is. Maar goed, Noortje, ik ben niet gekomen om te kwébbelen met jou, ook al is dat nog zo gezellig. Nee, we gaan spijkers met koppen slaan. Je hebt een computer, mag ik hopen?'
Noortje wijst naar een kast waarvan de deurtjes gesloten zijn.

'Daarachter. Het zijn zulke lelijke dingen, vind je niet? Vandaar die kast!'

Lelijk, maar onmisbaar, vindt Stefan. 'Net als een kerel, Noortje!' Hij tikt met een vinger tegen haar wang en het is of hij er plezier in schept haar verlegen te maken.

Ze werken langer dan een uur aan een concept. 'Zorgboerderij, dat komt het beste over. Dat begrip is inmiddels ingeburgerd. Denk nu niet dat het nieuw is... heel vroeger bestond er al iets in die geest, maar het had, geloof ik, geen naam. Mensen met de één of andere handicap, hetzij lichamelijk, hetzij psychisch, konden nergens terecht. Je begrijpt het al wel: te goed voor een inrichting, maar ongeschikt voor de maatschappij. Via predikanten, bijvoorbeeld, werd contact gelegd met een boer. Of hij, tegen betaling, iemand in huis wilde nemen. Hij of zij was best in staat de handen uit de mouwen te steken. Wilde graag wat leren en vooral meetellen in de maatschappij...' Stefan vertelt boeiend, neemt Noortje in gedachten helemaal mee.

'De vraag is nu: Wat wil je écht? Een zorgboerderij voor gehandicapten in de breedste zin van het woord, óf kies je voor senioren? Ik heb het nagezocht; het blijkt dat veel ouderen dolgraag buiten willen wonen en erg gesteld zijn op privacy. Maar ze willen ook weer niet van iedere hulp verstoken zijn voor het geval dát!'

Noortje knikt langzaam. Ze ziet ze voor zich: de gehandicapten. Misschien iemand met het syndroom van Down. Ze kent er een paar en ja, beiden zouden het goed doen in plan één.

En dan bejaarden. Mensen die de avond van hun leven dolgraag zelfstandig willen zijn, op hun privacy gesteld zijn, maar toch ook weer niet naar de rimboe willen verhuizen.

'Dat is al iéts, we hebben twee mogelijkheden. Misschien is het te combineren. En dan is er nóg een probleem: kiezen we voor dagopvang of moet ik denken aan een heuse woonvorm? Nu doel ik dus op gehandicapten...'

Stefan is blij dat Noortje ook doordenkt, niet blijft steken bij de kreet: Ik wil wat met mijn bezit!

'Ik heb een paar adressen voor je. Steunpunten, mensen die een groep boerderijen onder hun toezicht hebben. Dat houdt in: je kunt te allen tijde hulp bij de begeleiding krijgen. Geloof maar dat je van alles en nog wat tegen kunt komen. Dat terzijde. Wil je dat: je aansluiten bij een organisatie? Ze kunnen veel voor je doen, als ik denk aan het aanvechten van gemeentebelangen tegenover die van jou!'
Stefan heeft ook naam en adres van een advocaat die gespecialiseerd is in onteigeningsrecht. 'Geloof me, dat is een specialisme. Ik heb vernomen dat je nooit ofte nimmer op eigen houtje aan de gang moet gaan, maar hulp van deskundigen in moet roepen. Wel, het is nog niet zover. Tja, dan zie ik die knapen met hun klemborden en meetapparatuur scharrelen en denk ik er het mijne van. We beginnen met een bezoek aan de wethouder die hier over gaat. Wij samen, jij en ik. Misschien moeten we Wadee, nu hij zo opleeft, ook inschakelen!'
Noortje is er warm van geworden. Dankzij Stefan heeft haar plan handen en voeten. 'Je hebt gelijk, Stefan, op alle fronten. Ook dat ik een keus moet maken. Ik geloof dat ik kies voor gehandicapten die buiten de maatschappij staan. En voor mensen die uitbehandeld zijn in de psychiatrie. Met de vinger worden nagewezen... nergens aan de bak komen, bijvoorbeeld. Of... sorry, maar ik denk opeens aan jouw verhaal. Aan toen je pas je gezin was verloren. Voor iemand in zulke omstandigheden lijkt het werken in de natuur, met alles wat groeit en bloeit, met dieren vooral... een vorm van therapie!'
Stefan legt beide handen over die van Noortje. Hij heeft tranen in zijn ogen. 'Liefje, dat is goed gezien. Niet ieder in die omstandigheden wil afzondering. Maar laten we bij de zaak blijven: wat doen we als eerste? Een afspraak maken op het gemeentehuis.' Hij tovert zijn mobiel tevoorschijn en vraagt om het telefoonboek.
Tien minuten later staat de afspraak.
'Nu maken we een concept dat bedoeld is voor derden, zodat we niet met lege handen staan. Het gesproken woord is in dit geval te vluchtig.'

Ze maken een kladje, dat door Noortje op de computer wordt ingevoerd.
'Tevreden?' vraagt Stefan als Noortje de uitdraai heeft overgelezen.
'Niet echt, maar dit is dan ook slechts een begin. Het moet lukken, Stefan!'
Stefan neemt haar en Sterre mee om ergens wat te gaan eten. Hij zegt een restaurant buiten de stad te weten. 'Ooit een boerderij. Alles is er nog authentiek. Balken zolder en zo meer. Het eten is er eenvoudig, maar erg lekker. We kunnen buiten zitten!'
Pas aan het eind van de middag brengt Stefan Noortje naar huis. En nee, hij heeft geen tijd meer om binnen te komen. 'Ik heb een afspraak met een stel jonge musici. Een soort auditie... het kan alles en niets zijn. Maar we bellen nog wel. En bovendien hebben we een afspraak, maatje!'

Carmens leven is momenteel net een draaimolen. Alles rond haar is in beweging. Kern van dit alles is haar 'scheiding' van Joris. Nu ze haar één keer heeft ontmoet, zijn vrouw, ziet ze haar meer dan eens in de stad. De groei van hun buik gaat in de toekomst gelijk op...
Als ze aan haar moeder vertelt dat ze de naam van Bart heeft gebruikt, is Noortje in alle staten. 'Hoe dúrf je. Stel dat het uitlekt! Heeft die man al niet genoeg te lijden gehad? Als jij maar niet denkt dat ik dit voor je ga recht breien!'
Waarop Carmen kalm reageert: 'Zolang hij niets weet, is er niets aan de hand, mamma!'
Als het moment daar is dat Carmen van baan wisselt, loopt de spanning nog meer op. Ten eerste mag niemand van de collega's ontdekken dat ze zwanger is. Nee, ze moet zich eerst wáár weten te maken! Ze is dan wel verlost van een lastige medewerkster, de nieuwe collega's zijn onbekend en het is nog aftasten.
Feit is dat ze iedere avond doodmoe thuiskomt. Af en toe bekommert Gerdien zich om haar zus. Ze draait een wasje, vouwt en strijkt zonodig en natuurlijk komt ze niet met lege handen. Een ouderwets

pannetje soep mag dan natuurlijk niet ontbreken.
Af en toe dwalen hun levens uit elkaar, maar altijd is er toch weer die band, die onverbrekelijke band. Zo staan ze samen pal achter de plannen van Noortje. Wat er ook van moge komen...
En Noortje, op haar beurt, is blij dat ze geen verstoppertje meer hoeft te spelen. 's Morgens, vóór de afspraak met de wethouder, bellen alle drie haar kinderen en vlak voor Stefan haar komt halen, laat haar boekenvriend Daan ook weten dat hij met haar meeleeft.
Noortje heeft zich voor de gelegenheid plechtig gekleed. Een donkerblauw mantelpakje dat ze gereserveerd heeft voor begrafenissen en andere officiële gebeurtenissen. Zoals de ophanden zijnde bespreking. Ook Stefan heeft zijn kleding aangepast. Zelfs een stropdas is niet vergeten. Ze bekijken elkaar keurend, tot Noortje begint te lachen. 'Kleren maken de man, Noortje. Niet dat het altijd klopt... maar soms helpt het een beetje als men zich weet te presenteren.'
Het wordt een zenuwslopende ochtend. Want niet alleen de betreffende wethouder heeft belangstelling. Er blijkt een commissie in het leven geroepen te zijn om de ruimtelijke ordening en alles wat daarmee verband houdt, aan de kaak te stellen. Een van de sprekers laat zich ontvallen dat er meer terreinen zijn waar sprake is van onteigening. Wensen van bewoners die haaks staan op die van de gemeente. Pas aan het eind van de rit wordt duidelijk dat het plan voor de golfbaan met toebehoren, er absoluut dóór komt. Alleen: er zijn drie beschikbare locaties. En de Zuidmarke is er slechts één van!
Ze overleggen hun plannen en het moet gezegd: de naam Korpershoek doet nog net geen wonderen. Wat is meneer precies van plan? Er wordt aandachtig geluisterd. Jawel, dat wat hij wil realiseren, zou de naam van deze gemeente ten goede komen. Een nieuwtje: Natuurmonumenten heeft onlangs een aankoop gedaan, het gebied wat rondom de Zuidmarke ligt, is nu hun eigendom. Er zullen wandelpaden komen, het meer dient schoongemaakt te worden en geschikt gemaakt voor recreatie. 'Heel simpel: er moet gevist kunnen worden,

en we denken aan kanoverhuur, hoewel op kleine schaal. Het geheel moet landelijk blijven.'

Niet zonder hoop verlaten ze het gemeentehuis. Het is nog niet zo dat ze groen licht hebben gekregen, maar de eerste, zware stap is gezet.

Want ook dat wat Noortje voor ogen heeft, lijkt genade gevonden te hebben in de gemeentelijke ogen.

Gearmd lopen beiden door de stad, op zoek naar een cafeetje. Noortje staat er op Stefan voor te stellen aan Daan. 'Ik ken hem wel, maar niet zo goed als jij!'

Terwijl de twee mannen praten, gezeten aan de mahoniehouten tafel waarvan het blad rust op een gedraaide poot, beseft Noortje dat Stefan, iedere keer dat ze hem ziet, een stapje verder in haar wereldje doet. En ze laat het toe. Of dat verstandig is?

Ze geniet van de schimmelachtige geur van oude boeken, van de traag slaande klok, de te sterke thee.

Als ze weer buiten lopen, zegt Stefan ware woorden. 'Die man leeft, Noortje, en wel op een manier waar iedereen een voorbeeld aan kan nemen. Jij en ik ook!'

Ze lunchen in hetzelfde restaurantje waar Noortje ooit met Carmen is geweest. Die keer toen ze haar bloemetjeslaarzen heeft gekocht.

Veel later, bij het afscheid, houdt Stefan Noortjes gezicht in beide handen. 'Jij! Besef je wel dat je mijn leven overhoop hebt gegooid?' Hij kust haar. Zacht en liefdevol rust zijn mond enkele ogenblikken op de hare. 'Tot heel gauw!' zegt hij.

Eenmaal thuis, met Sterre naast zich op de bank, beseft Noortje dat ze een nieuwe weg is ingeslagen. En wel een met éénrichtingverkeer! Keren is niet mogelijk.

De drie kinderen van Noortje staan wat moeders plannen betreft, op één lijn. Mam is niet langer het nogal zielige moedertje dat aan welverdiende rust toe is.

Gerdien is samen met Martijn druk bezig Noortjes plannen in een

leesbare vorm te gieten en ze krijgen zelfs kopieën van Noortjes dagelijkse verslagjes, die ze vanaf haar eerste bezoek aan de Zuidmarke heeft bijgehouden.
Het kan niet anders of de plaatselijke pers krijgt lucht van de plannen. Via het dierenasiel is één en ander uitgelekt. Het stukje dat in de krant komt, is sarcastisch van toon, nergens amusant of inspirerend. Er staan foto's bij van Noortjes 'bouwval'.
En dat artikel heeft de nodige gevolgen...
Op een ochtend komt er een telefoontje van Stefan. Noortje moet niet schrikken, maar of ze wel even wil gaan zitten. Automatisch gehoorzaamt ze. Stefans stem klinkt zo vreemd.
'Wat is er met je... toch geen brand of zoiets?' hijgt ze.
Geen brand.
'De boerderij van oom Piet is gekraakt, Noortje. Vannacht is er een groep buitenlandse mensen ingetrokken. Wadee tipte me, we zijn samen poolshoogte gaan nemen. De politie is al gewaarschuwd, maar doet vooralsnog niets...'
Noortje stikt bijna in haar woede. Ze stottert en is voor Stefan onverstaanbaar. Hij zegt kortaf dat hij Noortje komt halen. 'Je bent overstuur, maar het komt wel in orde.'
Dat laatste klinkt geruststellend, maar Noortje hecht geen waarde aan die woorden. De boerderij van oom Piet gekraakt!
Ze wil handelden, Peter bellen, actie ondernemen. In plaats daarvan zit ze als een zoutzak op haar stoel, tot Stefan op het raam klopt. Hij laat zichzelf via de keukendeur binnen.
'Ach, Noortje dan toch!' Hij knielt bij het zielige hoopje mens dat Noortje is geworden, neer. 'Je gelooft me niet... maar het komt echt wel weer goed. Het is gebleken dat de krakers zelf de politie hebben ingelicht. Ooit geweten dat het oogluikend is toegestaan? Het zou anders zijn wanneer het huis bewoond was of wanneer iemand getuige van de inbraak was. Dat het openbreken van de deur is gezien, begrijp je me? Dat is niet het geval, dus nu moeten we maatregelen nemen die wel mogelijk zijn. Het kan komen tot een kort geding. Je

staat sterk, meid! Je hebt plannen met het pand en als dat aangetoond kan worden, zijn ze zo weer weg!'
Noortje kan het niet vatten. Krakers in haar boerderij, en ze genieten nog bescherming ook. Stefan blijkt er alles van af te weten. 'In ons land is het niet strafbaar. Onvoorstelbaar, maar waar.'
Stefan heeft voor hij van huis ging, Peter gebeld, en die heeft op zijn beurt de zussen gealarmeerd. Gevolg daarvan is dat de kamer van Noortje opeens vol zit.
Martijn is met Gerdien meegekomen en roept dat het in België anders toegaat. Hij weet het uit ervaring... 'Het wordt gezien als huisvredebreuk!'
Daar hebben ze hier nu niets aan. Peter heeft een arm om zijn moeder heengeslagen. Hij is zo boos. Hij noemt het een smerige streek. 'We staan achter je, mam.' Even heeft Noortje het zotte idee dat Willem terug is gekomen. Die kon op bepaalde momenten ook zo beschermend doen.
'We gaan er heen!' Gerdien is opgewonden. Haar story krijgt een nieuwe impuls! Met de wagens van Stefan en Peter gaat het richting Zuidmarke. Gerdien heeft haar videocamera meegenomen, Martijn zijn tas met fotospullen. Tot haar spijt moet Carmen terug naar haar werk.
'Hou me op de hoogte!' eist ze.
De rit naar de boerderij van oom Piet heeft Noortje nog niet één keer zo lang geleken. Bij aankomst op het terrein zien ze het gelijk: een geparkeerde politieauto, een paar agenten staan er lachend naast.
Tegen de voorgevel van het woonhuis hangt een laken waarop het internationale kraakteken is geschilderd. In een cirkel is een soort bliksemschicht te zien. Een buitenmodel pijl. 'Wat een demonisch teken!' fluistert Noortje.
'Onzin!' vindt Peter, die beter op de hoogte is van het verschijnsel kraken dan zijn moeder. 'Het is een symbool. Meer niet.'
Een politievrouw komt langzaam op hen toegelopen. Ze kijkt medelijdend als ze vraagt wat het kleine gezelschap van plan is, wie ze zijn.

Noortje wordt wakker. Als een furie staat ze daar. Zo kent bijna niemand de anders zo zachtmoedige vrouw. 'Ze hebben maar weg te gaan uit mijn boerderij! Doe wat! Sleur ze naar buiten!'
Stefan trekt Noortje stijf tegen zijn brede borst. 'Vertel ons eerst maar eens wie de krakers zijn. Dan weten we wie de tegenpartij is!'
Er komt een al wat oudere agent bij staan. Hij stelt zich netjes voor en zegt niet veel informatie te kunnen – willen? – geven.
'Het gaat om een groep mensen die uit het Oostblok komt.. Er is een beweging die voor dit soort vluchtelingen opkomt. Meer kan ik u niet zeggen. Kom naar het bureau, dan kunnen we er rustig over praten. Zien wat de mogelijkheden zijn!'
Na veel heen en weer gepraat, stapt de politie op. Met gebalde vuisten kijkt Noortje de auto na. 'Ellendelingen!' gilt ze.
Gerdien legt een hand op haar moeders schouder. 'Kalm worden, mam. Er zijn mogelijkheden, je moet kunnen aantonen dat je wat van plan bent met het huis en de rest. Zo is het toch, Martijn?'
Stefan stelt voor dat ze zich in zijn huis terugtrekken voor beraad. Harm Wadee komt hen tegemoet. Ook hij is laaiend, slaat een taal uit waar de boze woorden van Noortje bijna heilig bij zijn.
Stefan laat zijn gezag gelden. Hij loodst Noortje naar binnen, een ongeruste Peter volgt. Martijn en Gerdien besluiten hun werk als fotograaf en journalist te doen.
'We melden ons, Gerdien. Ze kunnen niet verwachten dat we op afstand blijven kijken. Je zou toch zelf naar de regering willen stappen en eisen dat er een strengere wet komt die mensen als je moeder beschermt!'
Gerdien wordt verscheurd. Enerzijds wil ze haar moeder steunen, anderzijds is hier nieuws te verslaan. Ze krijgen gezelschap van mensen van andere kranten. De plaatselijke pers is paraat, maar ook van een landelijk dagblad. 'Goed gezelschap!' kreunt Noortje. Maar Martijn is in zijn element...
Na aanhoudend geklop gaat de zijdeur op een kiertje open. Een slonzig uitziende vrouw staat hen in gebrekkig Nederlands te woord.

'Voor jullie wat zeggen: wij kennen onze rechten. Wat wij doen is niet specifiek bij de wet verboden, dus wees voorzichtig met wat jullie doen of zeggen! Wij genieten een zekere bescherming!'
'Dat hebben we gemerkt!' sist Gerdien tussen haar tanden.
Achter de vrouw staat een keurige man. 'U bent binnen niet welkom. Wat u mag weten, is dat we hier met acht vluchtelingen zitten. Wij hebben de ervaring... haha! Ooit van een 'kraakspreekuur' gehoord? Daar kunt u inlichtingen krijgen.'
Ergens in het woonhuis begint een baby te krijsen. In een voor hen onverstaanbare taal verheffen zich stemmen. Martijn flitst, probeert langs de vrouw heen te komen. Een collega staat voor het keukenraam en neemt zijn kans waar tot de versleten vitrage gesloten wordt. Dan wordt de deur dichtgetrokken, een voet van Martijn tussen de deur en sponning werkt niet. Met een pijnlijk vertrokken gezicht springt hij achteruit.
De journalisten zijn het met elkaar eens. Alles goed en wel: het is onvoorstelbaar dat kraken, het in bezit nemen van iemands eigendom, zo goed als legaal is. Eén van hen weet te vertellen dat in grote steden woningen voor een prikje verhuurd worden, uit vrees dat krakers hun slag zullen slaan.
Martijn nodigt hen allemaal uit mee te gaan naar het huis van Stefan. Gerdien geeft hem een por. 'Zou je dat nou wel doen...'
In optocht gaat het over het ruwe pad. 'We worden nagekeken. Snel, Martijn, leg het vast!' sist Gerdien.
Bij Stefan is het hele gezelschap welkom. De studio is groot genoeg, beweert hij. 'Voer voor ons!' vinden de nieuwkomers. Want het zal je maar gebeuren dat je op de koffie wordt gevraagd bij een rasartiest als Korpershoek! Een extraatje.
Peter slooft zich uit, zorgt voor koffie met koek. Stefan houdt Noortje stevig vast, het lijkt wel of hij bang is dat ze ervandoor gaat om haar boze gedachten om te zetten in daden.
De journalist van een regionaal blad, die als laatste is gekomen, weet te vertellen over een uitzetting van krakers een monumentaal pand in

de Betuwe. 'Omdat er plannen zijn voor de locatie, is het gelukt. En niet alleen de krakers verzetten zich, ook de buurtbewoners! Ik bedoel maar...'

Nu het allemaal goed tot Noortje doordringt, bekruipt haar een diepe wanhoop. Plannen? Die heeft ze. Volop. Maar geen toezeggingen van de overheid, de gemeente, dat ze die mag uitvoeren. Dus staat ze zwak.

En alleen een wonder kan haar de boerderij van oom Piet teruggeven!

12

Als geslagen honden keren Noortje en haar familie huiswaarts. Dit, wat nu is gebeurd, zou in geen honderd jaar in haar zijn opgekomen. Gerdien is de enige die zich niet terneer heeft laten drukken, nee, ze is zelfs gematigd optimistisch! Want er zit een verhaal in het gebeuren.
Martijn kijkt wat verder vooruit. Hij ziet het liefst dat Noortjes plannen vorm krijgen, en wel zo snel mogelijk. Hij broedt op een plannetje en pas als hij en Gerdien op het punt staan te vertrekken, komt hij ermee op de proppen.
'Noortje, er is ruimte volop rondom de boerderij. Waarom ga je er niet tijdelijk kamperen en op die manier de boel in de gaten houden?'
Noortjes mond zakt onelegant wijd open. Ze ziet het voor zich: zij, Noortje, in een soort legertentje. Een slaapzak, een spiritusbrandertje, potjes en pannetjes. 'Waar zie je me voor aan!' zucht ze.
Martijn knikt haar bemoedigend toe en zegt dat zijn grootouders een camper hebben, die ze niet meer gebruiken. 'Verkopen willen ze het ding niet, gevoelsmatige kwestie. Dus mag iedereen uit de familie er gebruik van maken. Het zou toch ideaal zijn als jij daar in een campertje vertoeft om de boel persoonlijk in de gaten te houden?'
Gerdien klapt als een kind in de handen. Martijn, dié heeft nog eens ideeën.
'Zou je denken?' peinst Noortje.
Dat is een ander beeld dan een legertentje. Zij en Sterre, niet ver bij Stefan vandaan. Misschien gaat er wel dreiging uit van zo'n actie!
Martijn schrijft met beide handen in de lucht: 'Wanhopige eigenaresse bivakkeert op eigen terrein en probeert de krakers wég te kijken. Ze is vastbesloten als winnares uit de strijd te komen...'
Gerdien valt hem om de hals. 'Plaag mijn mam niet, joh! Maar het idee is eigenlijk niet zo raar! Durf je dat aan, mamma?'
Durven? 'Dúrven? Jullie weten niet half wat ik allemaal zou durven

om mijn eigendom terug te krijgen. Martijn: haal dat ding maar zo snel mogelijk! En zeg je grootouders dat ik er zuinig op zal zijn!'
Waarop Martijn meteen in zijn elektronische agenda nakijkt wanneer hij mogelijk weg kan om 'dat ding' te halen.
'Je hoort morgen van me, lieve Noortje. Ik zal zorgen dat alles het doet: gas, stroom... watertank vol. In ieder geval zorg jij zo voor nieuws in de kwestie!'
Zodra de jongelui zijn vertrokken, stapt Noortje samen met Sterre naar het huis van Bart. 'Kom je gedag zeggen?' begroet zijn moeder hem. 'Dat is lief van je. Morgen vertrek ik naar mijn eigen huis en volgende week vangt de reis aan! Ik verheug me er zo op. Wees eens eerlijk: vind je me geen egoïste...? Laat ik mijn zoon nu niet gemeen in de steek?'
Noortje heeft met de oudere vrouw te doen. Ze meent wat ze zegt: in de steek laten. Snel geeft Noortje haar mening. 'Bart is volwassen, en best in staat voor zichzelf te zorgen. U wilt zo graag dat hij een nieuwe relatie begint, toch? Wel, mijn mening is dat hij daar niet over péinst zolang hij door u zo vertroeteld wordt. Hij hoeft niets te doen! U neemt hem alles uit handen en dat was goed, vooral na het overlijden van zijn vrouw. Maar ik denk dat hij, zodra hij zich echt eenzaam gaat voelen, zijn voelhorens uitsteekt en wie weet vindt hij voor de tweede keer zijn geluk!'
Moeder De Wolf is blij met de mening van Barts buurvrouw. Ze kijkt Noortje aandachtig aan. 'Nu jij... wat scheelt er aan? Je bent toch niet bezig ziek te worden? Zo zie je er wel uit!'
Ze loodst Noortje naar de achterkant van de ruime woonkamer, waar het gezellig zitten is, met uitzicht op de goed onderhouden tuin.
'Dat is een heel verhaal.'
Eerst een pot thee, vindt mevrouw De Wolf. Noortje kijkt ondertussen om zich heen. Het huis is aardig ingericht, niet haar stijl, maar toch. Modern, meer zoals het bij haar eigen kinderen is. Ze vraagt zich af hoe een tweede vrouw zich zal voelen in een compleet ingericht huis? Wat doe je in zo'n geval? Aanpassen, dat is zeker. Je

beider spullen een plek geven. Stel dat Stefan... Op dat moment komt mevrouw De Wolf binnen en zet een zwaar beladen blad op tafel.
'Thee, en dan vertellen. Je hebt toch geen ongeluk gehad? Of is er iets met de kinderen? Ook al hebben ze je niet meer nodig, het blijven toch je kinderen, zeg ik altijd maar. Pas wanneer ze nu ze zelf ouder zijn, kunnen ze zich verplaatsen in wat jij en ik nu doormaken. Hun pijn is de jouwe. Ik kan je niet zeggen hoe ik geleden heb aan het ziek zijn en overlijden van Aafke. Het was zo'n warme meid. En dan Bart... gebroken was-ie. Maar dat hoef ik je niet te vertellen. Kom, drink je thee. Er gaat niets boven een kopje verse thee. Ik heb er handgemaakte bonbons bij.'
Mevrouw de Wolf schurkt zich in een stoel, propt een kussentje achter haar rug en kijkt haar gast belangstellend aan. Zeg maar: nieuwsgierig.
'Het gaat om mijn erfenis.'
Op dat moment rijdt Bart zijn wagen de oprit op, hij toetert een keer ten teken dat hij thuis is. 'Zou hij me missen?' hoopt zijn moeder.
Noortje bijt een truffel in twee stukjes en zegt: 'Vast. Reken maar!'
Ze wacht met haar verslag tot Bart binnen is. Ze horen hem in de keuken, waar hij zijn handen wast. 'Hij moet voor zijn werk nog wel eens naar de bouw!' verduidelijkt zijn moeder.
'Surprise!' lacht Bart breeduit als hij de kamer betreedt. Zijn moeder kijkt meteen naar zijn voeten. Hij loopt op kousenvoeten. Ze knikt, alsof ze wil zeggen: brave jongen. De schoenen staan waarschijnlijk, bemodderd en wel, buiten bij de achterdeur om op te drogen.
Bart gaat zitten en kijkt de vrouwen om beurten aan. 'Waarom heb ik het gevoel dat ik stoor?'
Zijn moeder schenkt een kop thee voor hem in. 'Je voelt de spanning!' zegt Noortje met een trilling in haar stem.
'Vertel op!' commandeert Bart.
Noortje begint bij het alarmerende telefoontje van vanochtend.
Bart valt haar in de rede. 'Krakers? Ben jij klaar mee! Lieve help...

Weet je wel dat er een complete krakersbeweging bestaat? Ze hebben zelfs een eigen logo!'
Noortje knikt somber, ze weet ervan. 'Een cirkel met een bliksemschicht. Zoiets. Er hangt een spandoek tegen de gevel van de boerderij!' Het huilen staat haar nader dan het lachen.
Bart eet twee truffels zonder ervan te genieten. 'Dat komt door de publiciteit die er aan het gebeuren is gegeven. Die lui zijn alert op leegstaande panden. Een wonder dat het niet eerder is gebeurd. Wie zitten er in?'
Noortje vertelt wat ze weet. 'Zielig natuurlijk, die mensen zijn niet voor niets uit de armoede gevlucht. Ik hoorde zelfs een baby huilen. Wat ik niet begrijp, is dat het toegestaan wordt!'
Bart weet meer van het fenomeen kraken af dan Noortje en doet van alles en nog wat uit de doeken. Zijn moeder lardeert zijn zinnen met de nodige áchs en óóhs.
'Het is dus een civiel probleem!' besluit Bart en kijkt medelijdend naar het verdrietige gezicht van zijn overbuurvrouw. Zijn moeder wil weten wat dat inhoudt.
Hij vertelt dat er een kort geding moet komen. 'Je staat echt niet totaal machteloos, Noortje. Per slot van rekening ben je wat van plan met je boerderij. Het ellendige is alleen dat er niets valt aan te tonen!'
Noortje beseft dat ze Bart niet volledig heeft ingelicht over de vorderingen van haar plannen.
'Zozo, dus je bent ondertussen dikke maatjes met Korpershoek.' Hij werpt een blik op zijn gitaar die in de hoek van de kamer tegen een muur staat, keurig op een standaard. Hij heeft weer net zoveel plezier in het spelen als voor de dood van zijn vrouw. Ja, hij overweegt zelfs om op het aanbod dat een vriend hem deed, in te gaan: lesgeven op de muziekschool. Er is behoefte aan een leraar voor de jongste groep en eigenlijk ziet hij dat wel zitten!
Ondertussen volgt Noortje haar eigen gedachtegang. Ze heeft Bart buitenspel gezet wat betreft haar activiteiten rond de boerderij van oom Piet, omdat zijn mening niet spoorde met die van haar.

'Ga maar eens met me mee... hij is zelf ook bezig met bepaalde plannen uit te werken. Maar ja, hij wóónt er al, dus zijn huis kunnen ze niet kraken! Oh, ik vind het zo geméén!'
Noortje dept haar ogen met de rug van haar hand. Bart heeft met haar te doen. 'Als ik wat voor je kan doen... maar je zult aan Korpershoek hulp genoeg hebben. En hoe is het met die Swiebertje?'
Bart krijgt te horen dat de oude man is opgeleefd. Ze vertelt over zijn groentetuintje, zijn betrokkenheid bij wat er hopelijk gaat gebeuren.
'En die Marie Dinges?'
Noortje haalt haar schouders op. 'Ik zou het niet weten. Ze zullen één en ander wel hebben meegekregen, denk ik zo. Tja... de pers is happig op wat er is gebeurd. Morgen – misschien al vanavond – komt het in de kranten. Zelfs Gerdien en haar fotograaf waren opgewonden. Ik denk dat het deels eigenbelang is. Maar die fotograaf, Martijn, komt met een camper. Die zet hij bij de boerderij, zodat ik daar kan wonen en een oogje op het gebeuren houden...'
Bart veert overeind. 'Jij in je eentje... ben je nou wijs? Hoe haalt die knul dat in zijn hoofd? Wie weet wat voor volk daar rondspookt?'
Noortje is geroerd door de bezorgdheid van haar buurman. Maar ze wil absoluut niet gedwarsboomd worden. 'Ik heb Sterre!' zegt ze plechtig, waarop moeder en zoon spontaan in de lach schieten.
'De waakhond, Sterre!' zegt Bart met omlaag getrokken mondhoeken. Waarop Sterre uit haar slaap gewekt wordt, en grommend haar kopje tegen de spreker opheft.
'Zie je wel hoe alert zij is!' zegt Noortje trots.
Moeder De Wolf gaat rond met de theepot en truffels. Of Noortje blijft eten?
'Dat is eigenlijk wel lekker. Ik ben absoluut niet in de stemming om in pannetjes te gaan roeren. Maar trek heb ik evengoed wél!'

Net als ze aan tafel willen gaan, staat Carmen op de stoep. 'Is mijn moeder soms hier?' wil ze weten. Mevrouw De Wolf nodigt Carmen meteen uit om ook mee te eten.

'Je moeder moest haar hart uitstorten, vandaar. De tafel is gedekt, ik zet zó een bord voor je bij!'
Carmen aarzelt. Zodra ze Bart ziet, vliegt het schaamrood haar naar de wangen. De man moest eens weten waar zij hem van heeft beticht!
'Dat zou gezellig zijn!' vindt Bart en wijst naar een lege stoel, vlak naast die waar Noortje op zit. 'We vieren moeders afscheid!' zegt hij plechtig.
'Nou ja... als ik echt niet te veel ben... Mam! Ik was zo ongerust. Gerdien is niet te vinden, die zit natuurlijk weer in één of andere bespreking. En Peter is bezig met het avondspreekuur. Een hond of kat is momenteel belangrijker voor hem dan zijn eigen zus!'
Ze zegt het mokkend.
Bart schuift haar stoel aan en legt even zijn handen op haar schouders. 'Daar boffen wij dan maar weer mee. Je mam kan wel wat versterking gebruiken!'
Terwijl mevrouw De Wolf naar de keuken loopt om de soeppan met inhoud te halen, vertelt Noortje het gebeuren aan Carmen. Deze luistert met grote ogen. 'Het moet goed komen, mamma. Wat een ellende toch. Kraken... ik heb me nog nooit verdiept in dat gegeven!'
'Laten we eerst bidden!' stelt Bart voor. Noortje verwacht niet dat Bart hardop een gebed zal uitspreken, maar jawel. Hij dankt, vraagt om een zegen voor het eten. Als hij zijn ogen opent, kijkt hij Carmen aan en zegt: 'Eet smakelijk allemaal!'
En dat doet het, smaken. Want mevrouw De Wolf is een goede kokkin. Karbonaadjes, heerlijke jus. De aardappels zijn kruimig en niet te gaar. Net zoals de bloemkool onder een wit jasje waarover nootmuskaat: precies goed. Bart zegt plagend dat hij moeders maaltjes zal missen. Waarop mevrouw De Wolf prompt klaagt dat ze zich zo schuldig voelt als 'die jongen' zulke dingen zegt.
Carmen begint tot ergernis van haar moeder te flirten. 'Dan kom ík toch voor je koken, Bart. Ik zit ook maar alleen op mijn flatje!'
Noortje zou haar het liefst onder de tafel een schop geven, maar ze is bang de verkeerde voet te treffen.

Er is ijs met vruchten toe.
'Het was niet alleen heerlijk, maar ook erg gezellig!' zegt Noortje als zij en Carmen ruim een uur later aanstalten maken om naar huis te gaan.
Bij het afscheid nemen trekt mevrouw De Wolf Noortje aan een arm. Of ze af en toe, als het niet te veel is gevraagd, een oogje op Bart wil houden. 'Hij heeft de neiging zich terug te trekken, weet je. Dat heeft hij van mijn man. Die was net zo. Bart heeft af en toe een zetje in de goede richting nodig!'
En weer biedt Carmen haar diensten aan. Wel op een grappige en natuurlijke manier. Barts moeder knippert met haar ogen, Noortje ziet haar denken. 'Nou ja... als je in de buurt bent! Ik bedoel: je zult je moeder toch wel eens bezoeken.'
Bart komt aangelopen – hij heeft nu schoenen aan zijn voeten – en informeert wat de dames aan het bekokstoven zijn.
Noortje kijkt ongerust naar haar dochter. Zoals ze zich nu gedraagt, zo kent ze haar niet. Ze zal toch niet echt van plan zijn iets met Bart te beginnen? Om die Joris te laten zien dat ze hém niet nodig heeft?
'Kom, Carmen. Ik verwacht een telefoontje van Martijn. Over de camper van zijn grootouders.'
Gearmd lopen moeder en dochter naar de overkant, Sterre huppelt om hen heen. 'Moest dat nou!' sist Noortje en pakt Sterre bij de halsband.
'Wat?' doet Carmen argeloos. 'Toch een aardige vent, die Bart? Niet iemand die zijn vrouw bedriegt, lijkt me!'
Noortje haalt haar sleutelbos uit haar zak en zegt: 'Bart is te goed om mee te spelen. Hij heeft zijn portie verdriet gehad...'
Carmen grinnikt. Die mam. Meteen zo serieus.
Zodra ze binnen zijn, rinkelt de telefoon. 'Dat zal hem zijn!' hoopt Noortje.
'Martijn?'
Het is Stefan, die zegt ongerust te zijn. 'Mensen hebben mobieltjes

opdat anderen hen kunnen bereiken, Noortje! Het scheelde niet veel of ik was je komen zoeken!'
Noortje voelt zich gevleid. Heel, hééł even is al het andere onbelangrijk. Alleen Stefan telt. 'Ik was bij de buren! Troost zoeken...'
Die troost moet ze maar bij hém komen zoeken. 'Wadee is furieus. Die man loopt opeens rechterop, maakt letterlijk en figuurlijk een vuist. Zoals hij de pers te woord staat... jawel, nadat jullie waren vertrokken is er een nieuwe lading nieuwsgierigen gekomen. Ik geloof zelfs de provinciale tv. Ik denk dat we al die aandacht goed kunnen gebruiken. Zie ik je morgen?'
Noortje zegt het te hopen.
Meteen nadat ze de verbinding heeft verbroken, rinkelt de telefoon opnieuw en dit keer is het wél Martijn. 'Alles is in orde. Je mag de camper gratis en voor niks lenen! Heel de familie leeft met je mee. Ik haal het voertuig wel ergens in het weekend op! Zoek maar vast een plekje uit, Noortje!'
Carmen is enthousiast over het plan van Martijn. Of ze kan komen logeren? 'We hebben ergens toch een verrekijker liggen? We moesten er zuinig mee zijn van jou omdat-ie van onze pappa was. Weet je nog?'
Ja, Noortjes geheugen is prima. Niks mis mee. Ze weet het ding zelfs te liggen. 'En je moet nu eindelijk je nieuwe fototoestel gaan gebruiken, mam. Ik denk dat je computer mee moet. Jammer dat je niet zo'n handige laptop hebt. Mam... Gerdien boft maar met zo'n vriend! Ook al kan ik geen hoogte krijgen in welk stadium hun vriendschap zit!'
Noortje haalt haar schouders op. Het kost haar moeite genoeg om niet te informeren naar het hoe en het wat. 'Laat haar met rust, Carmen!'
Carmen blaast als een kat. 'Had je haar moeten horen toen ik Joris nog... nog had.' Opeens barst Carmen in een huilbui uit die haar moeder doet schrikken.
Ze trekt haar dochter in haar armen, maar vindt geen troostwoorden.

Deze dochter is een weg in geslagen waar geen terug van mogelijk is. Het is hard, maar het is wél haar eigen keuze. Noortje is de laatste om dat hardop uit te spreken. Ze kan nu alleen maar troosten.
Het huilen lucht de aanstaande moeder op. En dat niet alleen, eindelijk durft ze te praten over haar relatie. Over haar onmogelijke liefde, die nog lang geen verleden tijd is.
'Waarom steekt God geen stokje voor zulke verhoudingen als het toch goed mis gaat... dat zou ik wel zo eerlijk vinden!'
Noortje heeft moeite om deze toch volwassen dochter niet uit te lachen. 'God heeft geen marionetten geschapen, maar mensen met een vrije wil. En die wil respecteert Hij. Of jij nu je leven vergooit, aan de drugs gaat of ik-weet-niet-wat zou kunnen doen, God steekt nergens, uitzonderingen daargelaten, een stokje voor. Maar wél is Hij altijd thuis als je Hem zoekt. Wij moeten zelf de consequenties dragen van onze fouten, liefje. Daarom is het altijd verstandig Zijn wil te zoeken. Soms staat die lijnrecht tegenover dat wat jijzelf wenst of doet. Ik weet het uit eigen ervaring!'
Carmen mokt: 'Dus bij alles zoek je God?'
Noortje kan slecht tegen dit soort vragen die eigenlijk geen vragen zijn. Meer verwijten. Misschien voortkomend uit een diepe wanhoop.
'Eigenlijk wel. Als je "wandelt" met de Heer, dan gaan dingen vanzelf.'
Carmen geeuwt hartgrondig. Ze is niet ongelovig of afvallig geworden, maar soms zou ze wel wensen dat ze méér vertrouwde op God. Zoals haar moeder dat kan.
Noortje ziet haar denken en besluit haar over Stefan Korpershoek te vertellen. Over de manier waarop deze wonderlijke man omgaat met wat hem is overkomen. Carmen luistert geboeid. Het is haar duidelijk dat mam erg op die Stefan gesteld is geraakt, ze plaagt haar er niet mee. Daar is het blijkbaar te serieus voor.
'Kijk, ik benijd die man niet om wat hem is overkomen, wel ben ik jaloers op zijn gedachtegang. Ik vraag me af of dat een cadeautje van de Here is voor een man in zo'n diepe nood. Misschien zou ik dat soort genade niet eens kúnnen dragen!'

Dat gaat Carmen allemaal net wat te ver. 'Tja mam... raadsels, zelfs voor jou. En zeker voor die man. Mam...' Carmen haalt diep adem. 'Mam... ik zou het niet erg vinden als jij een nieuwe liefde kreeg. We zullen je dan voor een deel kwijtraken, maar ik gun het je zo. Zeker nu ik weet hoe het voelt je liefste kwijt te zijn geraakt...'
Noortje is geroerd door wat Carmen zegt.
'Kind toch. Lief van je. Maar zover is het nog niet. Eerlijk gezegd weet ik niet óf het zover zal komen. Ik ben al zo lang alleen. Een hondje, dat ging nog net. Maar samenleven met een mens... zoals dat vroeger vanzelf sprak? Ik weet het niet. Verliefd, verloofd, getrouwd, weet je wel. En dan kindjes. Enzovoorts. Maar je mag weten dat ik hem... hem erg graag mag en dat is wederzijds!'
Carmen omhelst haar moeder. 'Fijn dat ik hier mocht uithuilen, mamma. Het heeft geholpen, geloof ik. Ik voel me tenminste niet meer zo verlaten. Het idee: mam wordt oma! Of maken we er meteen omie van?'
Het is Noortje om het even.
Samen lopen ze door de geurende avond naar buiten, met Sterre op hun hielen. De donkere lucht is bezaaid met sterren. Nu komen er allerlei zinnen uit de Bijbel in Noortje omhoog. Wijze dingen die ze zou kunnen zeggen als bemoediging. Maar ze weet dat ze niet moet strooien met teksten. Het kan averechts werken, zeker bij Carmen.
'Kind, vergeet niet dat ik veel van je hou. Wát je ook doet, wát je ook van plan bent. Of ik het er mee eens ben of niet. Dat verandert niets aan mijn liefde voor jou. Dat ervaar je straks zelf, als je kindje er is. Moederliefde is soms een zegen, het kan ook een kwelling zijn. Maar daar vermoei ik je nu niet mee. Weet dat ik altijd voor je bid. En ook voor die kleine Hannesman in je buik!'
Nu lachen ze beiden, terwijl er gelijktijdig tranen over hun wangen glijden. 'Die houden we er in. Hannesman...'
Het is een vrolijke Carmen die even later wegrijdt, na steels een blik naar de overkant geworpen te hebben!
Noortje haalt de riem en gespt Sterre vast. Hoewel het fris is, haalt ze

geen jas of vest. Het is genieten: de geuren van de ontluikende struiken, bomen en planten. Nieuw leven. De aarde leeft weer.
De glimlach wijkt niet meer van haar gezicht. Reden?
Misschien wel het bestaan van de kleine Hannesman...

Martijn houdt woord. Zaterdagmiddag is het zover. Noortje is net van plan richting Zuidmarke te rijden, als ze wordt opgeschrikt door een luid getoeter. Ze haast zich naar het raam. Jawel, voor haar deur staat een camper. Ze schrikt even van de omvang. Wat ze in gedachten had, was een soort verbouwd busje, maar dit is een échte camper. Ze rent naar buiten, Sterre blaffend achter haar aan.
De zijdeur vliegt open, er komt opeens een trapje naar buiten gezoefd en het blije gezicht van Gerdien kijkt haar triomfantelijk aan. 'Mam! Hoe vind je 'm? Is het geen kanjer? Ik heb genoten, heel de weg!'
Martijn stapt aan de bestuurderszijde uit en loopt grinnikend op Noortje toe. 'Die Gerdien, er huist een zigeunerkind in jouw dochter!'
Hij omhelst Noortje alsof ze oude bekenden zijn.
Noortje zoent hem terug. 'Ik ben er beduusd van, jongen. Bedank je grootouders van mij. En ik wil natuurlijk de onkosten...'
Een hand op haar mond.
'Niet zeuren nou, moedertje Noor! We doen allemaal wat we kunnen om deze kwestie op te lossen. Dit is een presentje van ons beiden. Water, gasflessen, stroom... het is allemaal in orde. Als jij nou met jouw wagentje voor ons uit rijdt, gaan we meteen op pad!'
Maar nee, Noortje wil haar tijdelijke onderkomen eerst bezichtigen. Ze is verbijsterd als ze de inhoud van de kastjes ziet. Gerdien en Martijn hebben gewinkeld, zodat de kleine koelkast gevuld is, evenals de kastjes boven het miniaanrechtje. Ze probeert de kranen, laat zich alles uitleggen.
'Straks vertel ik de rest. Over de gasflessen en zo meer. Heb je het toilet al gezien?'
Een heuse badkamer. Een kleine douche, een toilet plus wasbak en

weer de nodige kastjes. 'Moet je de nieuwste modellen zien, Noortje. Daarbij vergeleken is deze kar middeleeuws. Maar goed genoeg voor ons plan!'
Noortje zou er het liefst meteen intrekken. 'Wees nou wijs, mam, zoek eerst de nodige kleren bij elkaar. Spullen voor je koelkast... ik noem maar wat. Straks maak je eerst een lijstje!'
Gerdien hijst zich weer in de camper, laat zien op welk knopje ze moet drukken om de trap weer naar binnen te laten schuiven.
'Hoe verzinnen ze het!' zucht Noortje. Jawel, op deze manier ziet ze het kamperen wel zitten.
Na van alles en nog wat geregeld te hebben, maakt ze zich klaar om te vertrekken, en vergeet bijna de achterdeur op slot te doen.
'Nieuw hoofdstuk, Sterre-meisje!'
Achter elkaar rijden ze de straat uit. Bart is nog net op tijd om hen te zien vertrekken. Die Noortje toch...
Zodra ze de Zuidmarke bereiken, mindert Martijn duidelijk vaart. Noortje begrijpt dat het gehots en gebots voor een camper niet je van het is. Zelf rijdt ze tot aan het roestige busje dat duidelijk eigendom van de krakers is. Ze kijkt zwaar geërgerd naar het spandoek.
Martijn stopt, hangt uit het raampje en vraagt wat de beste plek voor de camper is. Noortje aarzelt. Ze loopt wat rond, Gerdien komt haar te hulp.
'Daar, mam... heb je vrij uitzicht. En via het achterraam kun je het vijandelijke kamp in de gaten houden. Vergeet niet: het is jóuw grond! Jij bent niet aan het kraken! Kop op!'
Opzij van het woonhuis staan struiken te bloeien, ze geuren heerlijk. Maar Noortje heeft er weinig oog voor. Ze knikt, wijst Martijn de plek, waarop hij de motor brullend laat opkomen. En natuurlijk duiken de gezichten van de krakers achter de ramen op. Noortje ziet meteen dat er andere gordijnen hangen. Schone vitrage ook nog. Ze dwingt zichzelf naar niets anders dan de camper te kijken.
Martijn manoeuvreert, draait en rijdt dan langzaam tot aan een hek.

'Zo goed?' roept hij. Dan wordt het stil. De nogal lawaaiige motor zwijgt.
Gerdien trekt Noortje mee. 'Kom op, mam! Laten we de tent inwijden! Martijn heeft champagne meegebracht! Schattig, toch? Alleen hebben we geen echte glazen. We moeten het met plastic glazen doen!'
Maar evengoed zorgt de champagne ervoor dat ze zich feestelijk voelen. Martijn heft zijn glas. 'Op de goeie afloop, Noortje! Dat je hier maar erg gelukkig mag worden!'
Noortje kan niet zeggen hoe dankbaar ze deze twee mensen is voor hun bemoeienis. Maar ze zien het wel aan haar gezicht.
'Nu moet je nog zien waar je wilt slapen. Je kunt kiezen, Noortje. Er is hier een bed. Dat kun je omlaag trekken... kijk maar!'
Boven de voorste stoelen is geen plafonnetje, zoals Noortje dacht. Maar het blijkt een soort hefbed te zijn. 'Het gaat nogal zwaar!' kreunt ze als ze samen met Martijn het bed laat zakken. Geen nood, van de zithoek kan in een ommezien ook een bed worden gemaakt.
'Dat hefbed is dan voor ons, als we komen logeren!' plaagt Martijn en duwt met gemak het geval weer omhoog. En nee, Noortje, het kan echt niet uit zichzelf op je hoofd zakken!
Nogmaals inspecteert Noortje de kastjes en inhoud. 'Je moet meer beddengoed en ander textiel meenemen, mam. En de was zul je thuis moeten doen...'
Martijn slaakt een kreet. 'Zie dat nou!' roept hij. Er komt een vrachtwagentje aangesnord, dat stopt vlak voor de boerderij.
'Ze hebben zich een aggregaat aangeschaft, mensen! Brutaal, dat moet ik zeggen. Nu hebben ze stroom! Maar geen water!'
Noortje huilt bijna. 'Jawel, uit de pomp. Die hebben ze natuurlijk aan de praat gekregen... Die rótlui!'
Gerdien legt troostend een arm rond haar moeders schouders terwijl Martijn naar buiten springt, zijn fototoestel in de aanslag. Gerdien zegt dat Noortje alles moet fotograferen wat maar even de moeite waard is. 'Voor onze documentatie, mam! Later lachen we er om. Dan is dit verleden tijd, geschiedenis!'

Noortje snuft, ze ziet het even weer niet zo zitten. Gerdien kwebbelt vrolijk door. 'Mam, zul je niet vergeten je logboek bij te houden? En heb je al gezien dat er hier ook een kleine tv is? Je bent van alle gemakken voorzien. Je krijgt van mij een laptop. Ik heb nog een ouwetje staan dat goed genoeg is voor het gebruik hier. En kijk, in dit vakje zit een radio... luister maar, wat een geluid! Heb je nog oude cassettebandjes? Die kun je naar hartelust draaien. Enne, mam... je kunt je vrienden hier ontvangen. Stefan, Harm Wadee... Marie en haar dochter!'
Nu lacht Noortje door haar tranen heen. Om Marie en haar dochter. 'Die moeder komt niet ver meer. Misschien per kruiwagen of zo... maar Harm en Stefan zijn welkom!'
Martijn komt weer binnen.
'Maandag ga ik op bezoek bij de krakers. Hoe vinden jullie dat? Zelfs het maken van foto's is toegestaan. Jongens, wat voelen ze zich sterk!'
Door het zijraam ziet Noortje Stefan aankomen. 'Die weet niet wat hem overkomt...' lacht Noortje.
Gerdien rommelt in een kastje en vist er een waterketeltje uit. 'Thee. Zin, mam?'
Even later staat het keteltje te fluiten op het tweepits gasstel. 'Je wilt hier vast nooit meer weg, mam!' voorspelt ze als ze een paar schepjes thee afmeet en in een pot dumpt. En over haar schouder roept ze Stefan een welkom toe. 'Hoe meer zielen, hoe meer vreugd!'

Gerdien en Martijn rijden na de thee weg in Noortjes wagen. Ze laten haar met een gerust hart achter bij Stefan. Martijn noemt hem een toffe vent.
Noortje, op haar beurt, is slecht op haar gemak. Stefan lijkt te groot van postuur om in een camper te huizen. Hij draait één van de voorstoelen zó dat hij bij de zithoek aansluit. 'Kan dat ook nog!' verbaast Noortje zich. Stefan vertelt dat hij lange tijd een 'camperman' is geweest. Na het dodelijk ongeluk dat zijn gezin in één keer wegruk-

te, had hij rust noch duur. 'Dus ik toerde zo'n beetje door Europa. Het leidde wat af, maar meer deed het niet. Vandaar dat ik met dit soort huisjes vertrouwd ben.'
Ze drinken zwijgend thee, kijken door de vitrage naar buiten, terwijl Sterre slaapt op een van de banken.
Noortje houdt nerveus de boerderij in de gaten. 'Waar zou ik op moeten letten...? dat vraag ik me af. Ze zitten hier dus volgens de wet legaal. Er kan hoogstens een mens bijkomen, of er één vertrekken. Dat doet niets aan de zaak af.' Ze zwijgt even. Zegt dan met gebroken stem dat ze het spandoek haat. Stefan knikt.
'Ik begrijp het allemaal goed, meisje. We gaan hard aan het werk om jouw plannetjes te realiseren. Ik ben zo vrij geweest een nieuwe afspraak met de betreffende wethouder te maken. Wat we ook gaan doen: hout en stenen bestellen. Ook al mocht er later een kink in de kabel komen... dat materiaal loopt niet weg en het maakt de nodige indruk. De indruk dat je grote plannen hebt!'
De zijdeur van de boerderij gaat open en de goedgeklede, nog jonge man stapt welgemoed naar buiten. Zo op het oog zeker van zichzelf. Hij roept iets naar iemand die binnen is en even later voegen anderen zich bij hem. Ze staren en wijzen naar de camper.
'Welke nationaliteit zouden ze toch hebben?' vraagt Noortje. 'Stel dat ze kwaad willen. Straks is het nacht... ben ik dan niet een gemakkelijke prooi?'
Stefan bestudeert de mensen en schudt zijn hoofd. 'Wees maar niet bang dat ze hun eigen glazen in gaan gooien. Die blijven heus wel op afstand. Misschien valt er met die lange kerel te praten. Ik zal het van de week eens proberen. Je staat er niet alleen voor, Noortje!'
Later op de middag, als Stefan is vertrokken, maakt Noortje met Sterre een lange wandeling. Ze vindt een brugje over de beek waar Sterre destijds is ingetuimeld. Aan de overzijde van het kabbelend watertje is een stuk bosgebied. Allerlei soorten hout groeien er door elkaar. Aan de rand ervan staan hoge douglassparren. En wild zit er ook. Er springt vlak langs Noortje een konijn weg, die op weg is naar

het schone drinkwater van de beek. Met moeite weet Noortje Sterre vast te houden.
De mossige grond is opengewerkt, alsof er geschoffeld is. Het werk van wilde zwijnen, weet ze. Sterre heeft een ontdekking gedaan: konijnenholen. Noortje dreigt haar dat ze, als ze er inkruipt, vast kan komen te zitten. Niet dat Sterre ook maar iets van haar woorden begrijpt, maar de toon zegt haar wél wat.
Ondanks zichzelf geniet Noortje. Ze volgt het weinig gebruikte pad en komt na een dik halfuur uit op een heidevlakte, die nu nog dor en saai is. Hier en daar staan berkenbomen, de witte stammen steken fel af tegen de grauwe begroeiing. Ze staan nog niet volop in blad, maar er is een begin gemaakt. Dus hier is een route gepland. Wat zei Martijn ook weer: een knapzakroute. Noortje besluit niet verder te lopen, hoewel ze nieuwsgierig is naar wat zich achter het heideveld bevindt. Zo te zien nog meer eiken en beuken. Ze maakt rechtsomkeert. En terug bij de camper merkt ze trek te hebben. Gerdien en Martijn hebben aan alles gedacht. Noortje smeert een paar broodjes, belegt ze met ham en oude kaas. Sterre krijgt een schaaltje brokjes en natuurlijk fris water. Noortje gaat met opzet met de rug naar de boerderij toe zitten. Waar moet ze zich hier ter plaatse mee bezighouden? Het huishouden neemt niet veel tijd in beslag.
Terwijl ze zo zit te tobben, schrikt ze op van een klop op de deur. Harm Wadees gezicht kijkt haar vrolijk aan, zodra ze de bovenkant van de deur wijd open heeft gegooid. 'Daar doe je goed aan! Wat een geweldig huisje heb je hier. Ik zag 'm vanmiddag rijden en dacht dat de krakers versterking hadden gehaald. Maar Korpershoek...' Wadee wijst met een kromme duim over zijn schouder, 'vertelde me dat jij het was. Nou, welkom dan maar. Als er wat is, weet je me te vinden, dacht ik zo. Nog nieuws?'
Nee, was het maar waar. Noortje nodigt hem binnen maar Wadee bedankt. 'Binnenkort kom ik een bakje koffie bij je halen. Kunnen we samen naar die lui gluren!'

De volgende ochtend is Noortje, na een nogal onrustige nacht, vroeg wakker. Het bed is goed, daar lag het niet aan. Maar ze verwachtte elk wakker moment dat er iets zou gebeuren.
Ze beseft hier niet de beschikking over haar auto te hebben. De wekelijkse kerkgang moet ze dus missen. Maar dan herinnert ze zich de kleine tv. En tot haar verbazing is er een kerkdienst later op de ochtend.
's Middags komt er, gehuld in een stofwolk, een kleine colonne auto's haar kant op. Nieuwsgierigen uit de omliggende plaatsen.
De wagens worden geparkeerd, opgewonden lopen de mensen tot vlak bij de boerderij, wijzen op het spandoek, maken foto's. Als ze uitgekeken zijn, drentelen ze om de camper heen. Er worden allerlei opmerkingen gemaakt. Noortje houdt zich stil, verdraagt de overlast. Sterre zit op een bank en staart door de vitrage. Ze gromt ingehouden en er hoeft maar iéts te gebeuren, weet Noortje, of Sterre zet het op een luid blaffen.
Dan vormen de bezoekers kleine groepen en verdwijnen ze richting beek en het achterliggende bos. Noortje herademt.
Tegen de avond duiken nog meer belangstellenden op. Maar dan is Noortje in gezelschap van Stefan. 'Dit is tijdelijk, de belangstelling bloedt vanzelf dood!' troost Stefan haar. Hij vertelt er niet bij dat hij zelf ook is lastiggevallen. Mensen die zogenaamd fans van hem zijn. Ze hebben hem gemist... Wat een toeval dat zijn naam ook in de krant kwam te staan!
Weg rust, weg schuilplaats. Maar Stefan weet dat hij nu bestand is tegen die hinderlijke belangstelling. Dat was enkele jaren terug niet het geval. Integendeel zelfs! Hij is er zich van bewust dat zijn verblijfplaats binnenkort toch wel bekend was geworden. Zodra zijn muzikale plannen gerealiseerd zijn, komt er toch meer volk bij hem over de vloer.
Noortje vertelt over de wandeling die ze gemaakt heeft. 'Ik wist niet dat er hier nog zo'n mooi gebied was. Tamelijk ongerept, maar dat zal snel veranderen. We hebben toch gehoord dat de grond

rondom de Zuidmarke is aangekocht? Ten behoeve van de recreatie.'
Stefan zegt nog nooit op pad te zijn geweest. 'Maar dat gaat in de toekomst veranderen. Gaan we samen op ontdekkingstocht!'

De volgende dag komt er een vrachtwagen die een berg stenen stort. En wel op het erf, vlak bij de boerderij. Noortje ziet het met ontzetting gebeuren. Evenals de boerderijbewoners!
De vrachtwagen gaat leeg weg.
Net voor het middaguur komt er een lading hout, die keurig wordt afgedekt met stukken plastic. De chauffeur heeft duidelijke instructies gekregen! Misschien, zo hoopt Noortje, verontrust dit de krakersbende!
's Middags komt Stefan bij haar eten en zittend op de bank helpt hij naderhand het serviesgoed en bestek af te drogen. Noortje zegt zich hier best te vermaken, maar het idee dat ze vast zit, zo zonder auto, is minder. Lang hoeft ze niet zonder dit voertuig: tegen acht uur arriveren Martijn en Gerdien, en wel in twee auto's.
Bovendien brengt Gerdien een laptop en een paar tassen boodschappen mee. Vers fruit, groenten, zelfs aardappels en ingevroren vlees. Noortje moet lachen om al die goede gaven. Het diepvriesvakje van de toch al niet grote koelkast is bijna te klein.
Terwijl moeder en dochter alles opruimen en bijpraten, struint Martijn rond de boerderij. Hij is opgetogen over het bouwmateriaal. 'Dit ziet er dreigend uit, madammekes!' vindt hij. De krakers hebben zich bedacht: ze zien het nut van een gesprek met Martijn niet in. misschien later...
Ze blijven maar kort. 'Maar we bellen. Denk er om: niet je mobiel uitschakelen, mamma!' Mamma zou niet durven...
Ze kijkt de twee na, zwaait zo lang mogelijk. Op het laatste moment herinnerde Martijn zich nog méér voor Noortje te hebben meegebracht. Vanuit de kofferruimte haalde hij een tuintafel en een paar gemakkelijke stoelen. Het mooie weer komt er immers aan?

Wat Noortje doet hopen dat de 'buren' haar meubeltjes niet komen kraken...
Die nacht slaapt ze beduidend beter. Ze heeft wel een probleem, dat is waar. Maar het is meer dan heerlijk dat ze er niet alleen voor staat!

13

De nieuwe week is nog maar amper begonnen, of Noortje krijgt bezoek. Twee heren van de gemeente. Ze hebben begrepen dat de plannen van mevrouw Van Duinkerken nogal haast hebben.
Het fenomeen kraken is hun, evengoed als dat bij Noortje het geval is, een doorn in het oog. De beide mannen zijn goed op de hoogte wat betreft de verworven rechten van de beweging.
Maar mevrouw moet niet vergeten dat ze zelf óók rechten heeft. 'En u hebt ons en het gehele gemeentebestuur achter u staan. Want eerlijk is eerlijk: kraken is iets wat wij ongeoorloofd vinden. Het is ontstaan ten tijde van de grote woningnood.' Noortje krijgt, terwijl ze bezig is de heren van koffie te voorzien, een breedvoerige uiteenzetting. Veel dingen wist ze al, maar ze valt hen niet in de rede. Ze ziet hun komst als een geschenk uit de hemel.
'Ik zie tegen zo'n rechtszaak op. Een kort geding... Het klinkt zo dreigend, en wat als ik verlies!'
De mannen knabbelen van Gerdiens meegebrachte koekjes en laten zich de koffie goed smaken. 'Dat komt omdat het zo ver van uw bed staat. Maar het heeft niets om het lijf. Over een paar weken kunt u met de verbouwing beginnen. Er is al een aanvang gemaakt!' Ze duiden op het gebrachte materiaal.
Ja, vooral de berg stenen maakt indruk. Dat vindt Noortje zelf ook...
Noortje moet een paar papieren tekenen, zodat de mannen verder kunnen met hun procedure. Even aarzelt ze, het komt door het groeiende wantrouwen.
Dan moet Noortje hun nog eens precies vertellen wat haar plannen zijn. Want daar zijn zij niet precies van op de hoogte, zoals misschien hun collega's.
Noortje schildert met haar handen.
'Ik heb lang nagedacht en ben tot de conclusie gekomen dat ik toch het liefst een soort zorgboerderij op poten zet. En ik weet ook niet of

ik hier zelf definitief wil wonen. Er moet straks plaats zijn voor een tiental mensen die in de huidige maatschappij niet terecht kunnen en best willen werken, en kúnnen werken voor hun brood. Ik wil wat aan tuinbouw doen. Biologische groenten kweken... fruit. En dieren, dieren om te verzorgen. Geitenkaas...' Heel even droomt Noortje weg, vergeet voor enkele momenten haar gasten. 'Een eigen kaasmakerij. Ook al moet ik alles zelf leren! En een paar mensen om de huishouding op zich nemen. Ik zie ze al aan een lange tafel zitten. Genietend van een bord groentensoep met eigengebakken brood!'

De ene meneer zucht dat het paradijselijk klinkt. Maar mevrouw moet niet vergeten dat mensen onenigheid kunnen krijgen. 'U zult ook iemand moeten charteren voor de eventuele problemen. Een psycholoog bijvoorbeeld, om de bewoners te begeleiden! Ik heb namelijk zelf in de familie twee van die probleemjongens. Te goed voor wat voor instantie ook. Zouden ze zelfs niet willen... maar in de maatschappij vinden ze hun draai ook niet. Het zijn intelligente knapen, maar wél naar binnen gekeerde types. Reken maar dat ze voor zichzelf op kunnen komen. Ergens zijn ze nog hoogmoedig ook! En dus hebben die twee wel begeleiding nodig. Ze moeten hun grenzen leren kennen.'

Noortje luistert aandachtig, knikt en knikt weer. 'Ik zou bijna ontmoedigd raken. Maar ik weet dat u gelijk hebt. Ik zou dus moeten beginnen met het leidinggevende personeel...'

Het wordt een leerzame ochtend en het is een ontspannen Noortje die de mannen naar hun auto begeleidt. Ze heeft weer wat moed gekregen.

Rondom de boerderij is het rustig. Af en toe klinkt een stem op of schreeuwt er een klein kind. Er valt niets te fotograferen, niets te rapporteren. Wat Noortje doet besluiten toch weer snel haar huis op te zoeken. De camper is goed voor 'af en toe', vindt ze.

Aan het eind van de onverwacht warme dag volgt een avond die zwoel is te noemen. Noortje sluipt met een stoel naar de bosjes, niet ver verwijderd van de boerderij. Ze kan zo boos worden als ze zich-

zelf ziet gaan. Ze gedraagt zich of zíj de inbreekster is!
Ze is te moe om te lezen, haar gedachten slaan af en toe op hol. Kon ze maar iets doen om de zaak te bespoedigen!
Een merel zingt in het geboomte vlak bij, heel in de verte hoort ze gejubel van een nachtegaal. Naast haar snurkt Sterre, het kopje op haar voeten. Het is alsof ze ergens op zit te wachten. Op iemand, ja. Op Stefan.
Dan dringt het geluid van muziek tot haar door. Maar het komt niet uit de richting van Stefans boerderij, beseft ze. Het is dichter bij, het gezang komt uit de boerderij van oom Piet.
Stemmen die begeleidt worden door instrumenten. Waarschijnlijk snaarinstrumenten.
Ze houdt haar adem in... want wat ten gehore gebracht wordt, wint aan volúme, alsof er ramen worden geopend. Het is niet het volume wat haar in de ban houdt, nee, het is meer. De stemmen klinken zo warm, onbeschrijfelijk ontroerend en zuiver, dat ze er kippenvel van krijgt. Ze klemt haar handen om de leuningen van de stoel en buigt zich naar voren als kon ze op die manier nog beter horen.
Er klinkt iets van heimwee en droefheid door in het gezang. Mensen die zulke muziek kunnen maken, zijn vast geen misdadigers, concludeert ze. Kon Stefan dit maar horen!
De muziek stopt, er wordt gelachen, de baby van het gezelschap brult. Dan klinken weer de instrumenten, alsof ze met elkaar flirten. Vragen en antwoorden. Het doet Noortje aan zigeunermuziek denken.
Iemand roept een aanmoediging en dan barsten de stemmen los.
Opeens voelt Noortje dat ze niet langer alleen is in de vallende schemering. Onrustig kijkt ze om zich heen en dan blijkt dat Stefan niet ver van haar vandaan als gebiologeerd staat te luisteren, net als zijzelf. Hij vangt haar blik op, loopt dan langzaam op haar toe.
'Dit is subliem!' zegt hij schor en hurkt naast haar stoel neer.
'Ik heb wel een stoel...' Noortje fluistert, alsof ze in een concertzaal zitten. Stefan schudt zijn hoofd. Legt haar zo het zwijgen op. Dan ziet ze dat hij tranen in zijn ogen heeft.

'Heimwee... pure volksmuziek. Recht uit het hart... is er iets mooiers, Noortje? Dit moet onder de mensen gebracht worden. Ik wil meer van die krakers weten!'
Noortje voelt zich verraden. Straks wil Stefan die groep op wat voor manier dan ook, promoten. Hoe krijgt ze hen dan ooit het huis uit! Ze zijn naar alle waarschijnlijkheid ook nog illegaal!
Er steekt een fris windje op, Sterre wordt er wakker van en snuift met haar neusje heen en weer. Geuren die voor mensen niet waarneembaar zijn, prikkelen haar reukorgaan.
Noortje kan de bedwelmende muziek opeens niet langer verdragen. Zwijgend staat ze op en sjokt door het alsmaar hoger wordende gras naar de camper. Sterre volgt haar op de voet en springt als eerste naar binnen. Ze heeft het trapje niet nodig.
Ook binnen zijn de muziek en zang te horen. Noortje besluit morgenvroeg in haar auto te stappen en de bewoonde wereld op te zoeken. Even afstand nemen!
Hoewel het nog geen bedtijd is, besluit Noortje zich klaar te maken voor de nacht. Ze sluit de deur zorgvuldig af. Als Stefan haar nog wil spreken, moet hij maar aankloppen.
In de kleine douchecabine wast ze zich en verruilt haar kleding voor een pyjama. Ochtendjas eroverheen, de ceintuur strak gestrikt. Stefan mocht eens denken dat ze hem wil verleiden!
Het bed is snel opgemaakt, ondanks de hinderlijke bemoeienis van Sterre, die telkens op de nog niet opgemaakte banken springt. Noortje klapt de tafel weg, schuift deze tussen de zitplaatsen. 'Opzij jij...' De rugkussens worden erop gelegd en zie, het bed is gereed. Ze haalt de onderlegger en de hoes tevoorschijn, het wordt weer tobben met de 'hulp' van Sterre. Sterre echter ziet het gebeuren als een uitdaging, een nieuw spel tussen het vrouwtje en haar.
Als dan eindelijk het hoofdkussen en het dekbed op de plek liggen, vindt Sterre ook rust. Ze nestelt zich aan het voeteneind met een blik van: zie maar eens dat je me hier weg krijgt.
Dan toch de klop op de deur. 'Ik kom een slaapmutsje bij je halen,

meisje!' Noortje is zo goed niet of ze opent de deur.
'Ik dacht dat je wel naar die nachtegalen zou blijven luisteren!' Het komt er voor haar doen nogal bits uit.
Stefan hijst zich het trapje op en kijkt om zich heen. 'Ze zwijgen helaas letterlijk in alle talen. Noortje, er zit talent in de boerderij van oom Piet!'
Hij gaat zonder dat het is gevraagd op de voorstoel zitten en legt zijn lange benen, na zijn instappers uitgeschopt te hebben, naast het hoofdkussen van Noortje.
Ondertussen vist Noortje een fles wijn uit de koelkast. Ze duwt 'm Stefan in de handen, pulkt de opener uit een la en mikt die op zijn schoot. En nog steeds heeft de bezoeker niet door dat Noortje van streek is. Of eerder: ongerust.
Gerdien heeft vergeten echte glazen mee te brengen. Ze moeten het met die van plastic doen. Noortje grist de geopende fles uit Stefans handen en giet beide 'glazen' vol. Ze neemt een kloeke slok en merkt meteen weer dat de randen van het plastic anders zijn dan die van een echt glas. Net of je een onderdeel van een kinderserviesje in handen hebt...
Wat haar terugbrengt naar de zandbak en Willem met zijn verhalen. Zandbakvormpjes en een plastic serviesje. De verhalen over de boerderij van oom Piet.
Stefan komt terug tot de werkelijkheid.
Hij lijkt opeens wakker te worden en vraagt waarom Noortje zo nors kijkt. 'Je kijkt of je door een horde muggen bent gestoken, lieverd!'
Lieverd. Ze voelt zich allesbehalve een lieverd.
Stefan trekt een gezicht als ook hij een slokje uit het 'glas' heeft genomen. 'Is dit speelgoed?' vraagt hij vriendelijk en opeens krijgt Noortje de lachkriebels.
'Wie weet. Enne... ik was daarstraks bang dat je naar het vijandelijk kamp zou overlopen. Vanwege die mooie stemmen. En in mijn eentje kan ik de kar niet trekken.'
Stefan schudt zijn hoofd. 'Kuikentje dat je toch bent. Ik was geroerd,

en wel als musicus. Wat we zojuist hoorden, werd door natuurtalenten ten gehore gebracht. Ook de keuze van hun muziek. Wie weet zijn ze weg te lokken door ze op het goede spoor te zetten! Is-ie goed of is-ie goed?' Hij heft zijn glas en neemt pas weer een slokje als Noortje het hare ook heeft geheven.
Of ze nog plannen heeft voor de komende dagen. Noortje bekent naar huis te willen. 'Ik kan geen moment aan iets anders denken dan aan het probleem. Hoewel ik toch weer wat moed heb gekregen door de ambtenaren.'
'Je bent net een golfje dat op het strand rolt. Heen en terug, heen en terug. Kom op, Noor! Laat je tanden zien!'
Stefan blijft niet lang plakken. 'Ik moet om je goeie naam denken!' plaagt hij wanneer hij uit de camper springt, zonder gebruik van het trapje te maken.
Eenmaal buiten draait hij zich om, leunt met beide handen tegen de deurposten. 'Slaap lekker, Noortje!' Hij kijkt haar zo intens aan dat Noortje er verlegen van wordt.
'Hetzelfde dan maar!'
Ze sluit de deur achter hem en kijkt hem door het keukenraampje na. Lampjes uit en proberen de slaap te vatten. Sterre schuift bereidwillig een klein stukje op. Door het vierkante dakraampje kan Noortje de sterrenhemel zien. Het staren maakt haar slaperig en het duurt niet lang of ze valt in slaap.

Het duister van de nacht dekt de wereld toe als een deken. Vanuit het bos komen geluiden van dieren. Een uil roept, een andere lijkt antwoord te geven. Wilde zwijnen wagen zich dichter in de buurt van de bewoonde huizen.
De maan staat hoog aan de hemel en maakt dat de omgeving als in een film verlicht wordt. In de schaduw van de boerderij sluipt een jonge vrouw. Ze trilt van top tot teen. Ze kijkt verlangend naar de auto die sinds gisteren naast de camper staat. Vluchten kan wel, maar waarheen?

Ze wordt als door een magneet aangetrokken door de camper. Het is er donker, de bewoonster slaapt. Zoals dat de bedoeling is, 's nachts.
Ze trekt haar sjaal wat vaster om zich heen. Slapen kon ze niet. Na dagen en nachten uitgeput op een matras te hebben gelegen, is ze lichamelijk uitgerust.
Het campertrapje is ingetrokken. De gordijntjes zijn gesloten.
Alles is in diepe rust, buiten de voor haar vertrouwde bosgeluiden om.
Het volgend moment is het gedaan met de rust. Vanuit de camper komt een oorverdovend kabaal. Er valt iets om, een hond blaft of zijn leven ervan afhangt.
Dan vliegt de bovenkant van de deur open en Noortje, in nachtgewaad, komt poolshoogte nemen. Ze ziet in het maanlicht meteen de stille figuur staan. Ze grijpt haar zaklantaarn en zet de jonge vrouw in de lichtbundel. 'Wat doe je hier!' roept ze schor. Het moet niet gekker worden, ze tast op het aanrecht naar haar mobiel, bang als ze is overvallen te worden.
Dan valt haar oog op het inwitte gezichtje van de jonge vrouw, een meisje nog. Niet ouder dan Carmen en Gerdien. Ze realiseert zich dat ze voor haar onverstaanbare woorden heeft geuit. Het moet als een dreigement geklonken hebben. Ze wijst met een duim naar zichzelf, richt de lichtbundel even op haar gezicht. 'Ik ben Noortje! Jij?'
Het meisje doet aarzelend een stapje in haar richting. 'Snezana...'
Noortje staat in tweestrijd. Ze wil enerzijds deze persoon wegjagen als was ze een lastige zwerfkat, zoals ze bij Hadee om het huis lopen. Anderzijds voelt ze erbarmen. Het meisje is ten prooi aan – aan wat? Wanhoop? Ze voelt bijna haar pijn.
Dan opent ze de onderdeur en maakt een nodend gebaar. Snezana aarzelt enkele seconden, daarna gooit ze zich bijna naar binnen, tot ontsteltenis van Sterre die zich toch genoodzaakt ziet het 'huis' te bewaken.
Noortje maakt een gebaar dat ze verstaat. Kalm blijven, niets aan de hand.

Eenmaal binnen sluit Noortje de deur achter Snezana en duwt haar in de stoel waar enkele uren terug Stefan zat.
Er is geen sprake van dat ze de taal van het meisje kan verstaan, niet één woord zelfs. Alleen: Servië.
Noortje haalt zich de tv-beelden van enkele jaren terug voor de geest, ze heeft er geen idee van hoe de toestand daar nu is. En of dit meisje een politiek vluchtelinge is, of erger.
Er blinken tranen in de mooie, donkere ogen. Ze hakkelt een paar Engelse woorden, maar dan blijkt dat ze het Duits enigszins beheerst. Niet dat Noortje die taal vloeiend spreekt, maar verstaan kan ze 'm wel.
Het meisje deelt mee dat ze in gezelschap van een paar ooms en een nicht is. Er is ook een Hongaarse, al wat oudere vrouw in hun gezelschap. Tijdens de Hongaarse revolutie, in 1956, is ze met haar familie naar Nederland gevlucht. Zij spreekt, zij het gebrekkig, een paar woorden Nederlands. Helaas is ze erg schuw.
De nicht, die heeft een baby. 'Weint... weint...' zegt ze, en wijst op haar ogen. Noortje knikt. Ja, dat heeft ze gehoord!
'Krank? Baby krank?' informeert ze.
Snezana schokschoudert.
Noortje biedt aan thee te zetten, ze houdt de waterketel omhoog en het doosje waar losse thee in zit. Snezana knikt dankbaar.
Het geeft Noortje even wat te doen. Hoe nu verder?
Ze heeft een klein lampje boven het aanrecht aangeknipt. En uiteraard de deur weer op slot gedraaid.
Ze informeert of Snezana daarstraks gezongen heeft, was zij de solozangeres? Een heftig knikken. Ze is zangeres, kwam door geloofsovertuiging in de problemen, net als haar familie. Maar de ooms hebben ook nog andere redenen waarom ze moesten vluchten. Noortje begrijpt niet veel van wat het meisje vertelt. Er schijnt zoiets als onderlinge strijd te zijn. 'Moslims?' Dat verstaat Snezana. Ze schudt haar mooie hoofd.
Noortje schenkt de thee op en krijgt dan de schrik van haar leven. Er

komen van buiten duidelijk geluiden die op een naderend mens duiden. Ze knipt het lampje uit en gluurt door de vitrage. Rondom de boerderij is alles in diepe rust. Maar vlakbij, opzij van de camper, hoort ze toch echt iets wat haar verontrust. Morgenvroeg rijdt ze meteen naar huis!

Ze vat moet en schuift het gordijntje dat het achterraam bedekt, opzij. Dan slaakt ze een gilletje. Geen mensen, maar een groepje wilde zwijnen scharrelt het door dorre blad, waar het jonge gras doorheen probeert te schieten. 'Wilde varkens... Schweinen!' lacht ze bevrijd. Snezana komt naast haar staan. Het is een wonderlijk gezicht die dieren in het maanlicht ontspannen bezig te zien.

Gerustgesteld gaan ze weer zitten, maar Sterre is moeilijker te kalmeren. Na een streng commando kruipt Sterre onder het bed.

Snezana lacht en schudt haar hoofd. Noortje zet een kopje thee voor haar neer.

Tot een echt gesprek komt het niet. Wel begrijpt ze dat dit meisje alleen verder wil. Zonder de groep. Ze zoekt niet het avontuur, maar wel een veilig leven. Uit haar rokzak vist ze een klein boekje. Het ontroert Noortje als ze ziet dat het een piepklein woordenboekje is. Servisch-Nederlands. 'Kind dan toch!' Het moedergevoel van Noortje ontwaakt.

Ze probeert het meisje duidelijk te maken dat ze goud in haar keel heeft, misschien wel in haar eigen onderhoud kan voorzien met zingen. Natuurlijk... Stefan krijgt toch gelijk.

Snezana haalt haar schouders op. Veel hoop heeft ze niet en gezien haar verleden begrijpt Noortje dat goed. En nee, ze is niet bang voor haar ooms. De leider is een aardige Nederlander die de groep begeleidt, hij is de man die hen hier heeft gebracht.

Waarom is ze midden in de nacht naar buiten gegaan? Dat wil Noortje weten. Snezana legt haar handen om haar slanke hals. Noortje denkt te begrijpen dat het meisje het benauwd had, misschien hyperventileert ze wel?

Het kopje thee doet wonderen. Ze drinken samen de pot leeg.

Noortje zegt: 'Nu moet jij gaan slapen!' Ze praat opeens luid, alsof dat het taalprobleem zou kunnen oplossen. Ze lacht om haar eigen domheid en gaat verder in het Duits. 'Du... Schlafen! Morgen ist da ein neuer Tag!'
Ja, knikt het meisje als een gehoorzaam kind. Of ze morgen weer op bezoek mag komen? Noortje knikt ook, zij het wat aarzelend. Moet je haar nu zien: theeleuten met krakers die de boerderij van oom Piet in beslag hebben genomen.
Ze loopt op haar slippers met Snezana mee tot aan de zijdeur. Opeens omhelst het meisje haar. Tranen glijden over haar wangen. Dan zegt ze stotterend: 'Mutter... Mother... mámma!' Dat verstaat Noortje. Ze knuffelt haar en blijft wachten tot ze binnen is.
Opeens herinnert ze zich de wilde varkens. Nog nooit heeft ze zichzelf zo snel in veiligheid gebracht. Ze spiedt angstig om zich heen, maar de dieren zijn nergens meer te zien.
Sterre komt uit haar schuilplaats tevoorschijn. En pas als het vrouwtje de deur op slot draait – twee keer nog wel – vindt ze haar rust terug.
Het duurt erg lang voor Noortje zich kan ontspannen.
Ze probeert zich het leven van de groep vluchtelingen in te denken. Dat lukt niet zonder de juiste gegevens te hebben. En dan is het nóg afwachten of ze de waarheid spreken!
Enfin, morgen gaat ze naar huis.

14

DAT WAS HET PLAN. ONTBIJTEN, DE VUILE WAS IN EEN ZAK DOEN EN IN de auto stappen. Al heel vroeg in de ochtend rijdt de man die de leiding heeft over de groep, weg in zijn auto. De Nederlander. Noortje had hem graag gesproken, helaas moet dat wachten. Misschien doet ze er goed aan Stefan van haar nachtelijke bezoekster op de hoogte te brengen?

Nog voor ze klaar is met haar simpele ontbijt, wordt er op de deur geklopt. Weer Snezana. Deze keer lijkt ze de wanhoop nabij.

'Krank! Kind...'

Noortje denkt het te begrijpen. De huilende baby. Wat nu te doen? Snezana trekt haar aan een mouw. Ze moet meekomen!

Op een wel erg vreemde manier loopt ze via de zijdeur de boerderij binnen. Alsof ze niet het volste recht heeft dat te doen!

De nogal donker getinte mannen zitten in een kring op de grond, op een matras ligt een vrouw met een klein kindje in haar armen. Het kind gilt, strekt het kleine lijfje en Noortje krijgt een indruk van het geheel die beslist beangstigend is.

Snezana is de enige met wie ze een beetje kan communiceren. De Hongaarse vrouw staat achter in het vertrek, haar houding is afwijzend. Zo van: blijf uit mijn buurt!

Het is duidelijk: de baby heeft medische zorg nodig. Noortje snelt terug naar de camper, wanhopig nagestaard door Snezana die denkt dat Noortje letterlijk de benen heeft genomen. Maar nee, met haar mobiel in de hand komt ze al vlug terug. Het kleine gezelschap herademt en bloc.

Stefan, die moet helpen. Maar Stefan heeft zijn mobiel uit staan óf hij is niet thuis. Noortje aarzelt geen moment. Ze beduidt dat de moeder met het kind mee moet komen, dan brengt ze hen naar een arts. Snezana vertaalt haar woorden. De moeder staat gewillig op en wikkelt het kindje in een bonte sjaal. Vol verwachting kijkt ze Noortje aan.

Noortje trekt haar mee, naar de auto. Eerst de sleutels halen, beduidt ze. Even later zit de moeder op de achterbank, terwijl Noortje de gordel vastgespt. Dat gaat een beetje moeilijk, vanwege de gillende baby. Al rijdend overlegt Noortje wat haar te doen staat. Het ziekenhuis is aan de andere kant van de stad. Ze heeft het gevoel dat er haast geboden is! Maar natuurlijk, Carmen kan te hulp schieten!
Ze toetst Carmens nummer in en zegent het feit dat ze handsfree kan bellen!
Het kost Carmen moeite om haar moeder te verstaan, laat staan dat ze begrijpt wat er aan de hand is. Noortje maakt gebruik van een huilpauze van de baby en dan pas begrijpt Carmen dat er sprake is van een noodgeval.
'Kom maar naar de zorgboulevard, mam. Ik sein hier een van de artsen in. Die beslist wel wat er moet gebeuren. Kom maar gauw!'
Het moedertje schijnt te begrijpen dat ze op de goede weg zijn en als Noortje in de achteruitspiegel kijkt, ziet ze dat het vrouwtje zich ontspant, ondanks het feit dat het kind blijft huilen.

Carmen staat haar op te wachten, en voor Noortje het weet is de baby in de armen van een nog wel heel jonge dokter. Een meisje nog in haar ogen. In optocht gaat het naar de moderne behandelkamer.
Carmen trekt Noortje achteruit. 'Ze kunnen het wel zonder ons stellen, mam. Vertel eens gauw hoe dit allemaal zo is ontstaan?'
Noortje kan er niets aan doen: ze geniet ervan dat haar dochter haar bewonderend aankijkt. Die mam! Ze heeft zich niet bang laten maken!
'Ik ben trots op je, mamma!'
Nu heeft Noortje meteen de kans de nieuwe werkplek van haar dochter te bewonderen.
De zorgboulevard neemt een groot deel van de beschikbare ruimte van het nieuwbouwplein in. 'Het ziet er zo gezond uit...' zegt Noortje ietwat afwezig.
'Hm?' reageert Carmen.

'Nou ja... zoals daar bijvoorbeeld: een Groene Kruiswinkel. Er zal niemand naar binnen gaan die er niets nodig heeft. Toch? Maar zo, van buiten, is het net een van de betere drogisten. Geldt ook voor die huisartsenpraktijk. Komt door het nieuwe...'

Carmen duwt haar moeder in haar piepkleine kantoortje op een stoel.

'Jij bent goed van streek, mamma. Wacht, dan haal ik een kop sterke koffie voor je. Fluitje van een cent. Koffie, je eigen remedie voor van alles en nog wat!'

Terwijl Noortje de hete koffie drinkt, gaat Carmen informeren hoe het met de baby staat. Een assistente staat haar te woord. 'Het kind is uitgedroogd, waarschijnlijk heeft het lichaampje zelf de één of andere infectie zo goed als overwonnen. Er is een ambulance onderweg om de baby te halen. Wat doen we met het moedertje?'

Carmen zegt haar moeder te halen. 'Zij ontfermt zich dan wel weer over dat vrouwtje. Maar wacht... de moeder zal wel met haar kind mee willen. Wat is die taal toch een handicap!'

Dat vindt Noortje ook.

Ze rijdt achter de ambulance aan, de moeder mag bij haar kindje blijven. Er lijkt wel geen eind aan de ochtend te komen. De baby moet allerlei onderzoeken ondergaan, terwijl zijn moeder bleek en gespannen probeert met de artsen te communiceren. Noortje besluit Stefan te bellen. Ze kan wel een bemoediging gebruiken. Met haar mobieltje loopt ze naar buiten, wetend dat de jonge moeder vreest dat ze in de steek wordt gelaten.

'Steef, waar zit je toch? Niet thuis, neem ik aan...'

Stefan is kort van woorden. Hij is in Hilversum en zit in een bespreking met artiesten en hun managers. 'Laat maar!' zucht Noortje. Ze kan hem nu niet met haar nachtelijk avontuur lastigvallen, vindt ze. Stefan haast zich te beloven vanavond nog terug te bellen, maar Noortje heeft de verbinding al verbroken.

Het eerste wat ze hoort wanneer ze terug is in de wachtkamer, is dat de baby moet blijven. De moeder is in tranen.

Behoedzaam loodst Noortje haar door de gangen terug naar de liften. Ze mompelt in het Nederlands troostwoorden en ze weet zeker dat de klank ervan op zich al iets teweegbrengt.
Rechtstreeks gaat het terug naar de Zuidmarke. Vlak bij huis moet Noortje stoppen in verband met een tegenligger op het smalle pad. Annette Schuilenburg op de fiets. Ze draagt een strak hoofddoekje, geen losse haarsliert kan ontsnappen. Haar nog winters aandoende jas is eenvoudig van snit, maar ongetwijfeld ooit gekocht in een winkel waar niets dan kwaliteit verkocht werd. Ze stapt af, aan weerszijden van de fiets een been, de voeten in stoere veterschoenen stevig op de grond geplant.
Noortje opent een raampje en informeert of Annette en haar moeder mee hebben gekregen dat haar boerderij is gekraakt. Annette schudt haar hoofd. Ze hebben wel iets vernomen, maar dat gezien als iets wat hen niet aangaat.
Noortje wijst met een hoofdknikje naar haar passagier. 'Mensen die het moeilijk hebben, haar baby ligt in het ziekenhuis.'
Annette buigt zich voorover om het moedertje goed te kunnen bekijken. En opeens zegt ze iets wat Noortje de adem beneemt.
'Als ik iets kan doen... hebben die mensen wel kleding genoeg? Moeder gooit nooit iets weg... ik heb kisten vol met van alles. Wel oud, maar nog best te dragen. Kunt u zich verstaanbaar maken?'
Noortje zegt wat Duits en Engels door elkaar te bezigen.
Annette knikt. 'Ik spreek vloeiend Duits, Engels, Frans en ik ben vroeger ooit een tijdje met Russisch bezig geweest. Als ik je helpen kan...'
Noortje voelt zich warm worden. 'Nou en of. Ik zit een paar dagen in dat campertje ginds... om een oogje in het zeil te houden. Waarom kom je vanmiddag niet buurten? Dan vertel ik je wat ik weet!'
Zo komt het dat het naar huis gaan nog een dagje wordt uitgesteld. De reden ervan kan Noortje niet anders dan blij maken!

Tussen de middag komt de Nederlandssprekende bemiddelaar thuis.

Hij parkeert zijn wagen slordig voor het huis, net niet tegen een boom. Hij sjouwt een mand en een doos vol boodschappen het huis binnen. Daarna, tot Noortjes verbazing, beent hij richting camper. Ze loopt naar de deur, waarvan ze in een vlaag van vrees, slechts de bovenste helft opent. Sterre haast zich haar bij te staan, ze kan net met haar kopje over de rand gluren. Haar staart zwiept driftig heen en weer. Hondentaal: onraad! 'Braaf!' sist Noortje.
De lange man blijft vlak voor het trapje staan. Hij is een mens van weinig woorden. 'Marcus van der Dussen. Uh... zie me maar als een welzijnswerker. Breed terrein. Mijn dank voor de hulp aan Arminka. Ze was vol lof over uw naastenliefde. Enne... ook Snezana heeft contact gemaakt. Dat is niet onze gewoonte. Toch wil ik een gesprek met u aanvragen!'
Noortje hapt naar adem. Aanvragen, alsof ze een of andere officiële instantie is. Ze steekt haar hand uit. 'Ik ben Noortje, eigenares van de boerderij. Jullie hebben wel wat uit te leggen, denk ik zo! U kunt er op rekenen dat we gerechtelijke stappen ondernemen, meneer Van der Dussen!'
Marcus van der Dussen knikt kort, kriebelt Sterre tussen de oren. Hij kijkt Noortje kort en intensief in de ogen, zegt: 'Juist!' en maakt rechtsomkeert.
Sterre laat zich zakken en kijkt omhoog naar het vrouwtje. Noortje haalt haar schouders op. Ze raakt het overzicht van de situatie kwijt! Trek heeft ze amper. Sterre krijgt haar hapklare brokken, voor zichzelf maakt Noortje een kopje soep. Met een broodje kaas erbij is het voor even voldoende!
Tijd om de camper te ordenen. Eerst het bed opruimen. Want wie weet houdt Annette Schuilenburg woord!

Dat doet Annette zeker.
Vroeg in de middag meldt ze zich. Noortje heeft op de uitkijk gezeten en is toch nog verrast haar buurvrouw in spe te mogen ontvangen! De fiets wordt op de standaard gezet en op slot gedraaid.

Tja, met krakers in de buurt... denkt Noortje cynisch. Ze begroet Annette alsof het de gewoonste zaak van de wereld is dat ze op visite komt!
Annette klimt het trapje op, kijkt kritisch om zich heen. 'Ik heb altijd al willen weten hoe zo'n ding er vanbinnen uitziet. Wel behelpen, niet?'
Ze ontdoet zich van haar te warme jas en sjaal. 'Die stoel kan draaien, wat apart. Zit goed! Waar slaap je dan? Kun je wel koken? En de wc...?'
Noortje wijst waar alles wat genoemd is zich bevindt. Leuk, die oprechte belangstelling! Ze schenkt Annette ongevraagd een kopje thee in. Een schaaltje koekjes zet ze binnen handbereik.
'Kon je je moeder wel alleen laten?'
Annette kijkt schichtig op haar horloge. Ze knikt. 'Niet lang. Mamma is niet graag alleen, ze praat zo graag over vroeger. Ik ken haar levensverhaal bijna beter dan dat van mezelf!' Ze lacht, het is geen gelukkige lach.
Noortje probeert zich in deze vrouw te verplaatsen, wat niet echt lukt. 'Je doet wel veel voor je moeder. Als ik aan mijn eigen dochters denk... die hebben de handen vol aan zichzelf!' En ze denkt: Mijn eigen moeder zou niet gewild hebben dat ik me voor honderd procent voor haar opofferde. Haar geluk was míj te zien leven, zoekend naar mijn plek in de maatschappij... zo vergaat het mijzelf ook ten aanzien van mijn drietal.
'Ach ja, de moderne jeugd. Moeder heeft gelijk: de beschaving is ver te zoeken en de wereld gaat naar de knoppen. Maar ik ben gekomen om informatie over die krakers. Ik hoop toch niet dat ze bij ons komen inbreken!'
Noortje stelt haar gerust. 'In dat geval hebben jullie het volste recht de politie erbij te halen om ze te arresteren. De kwestie is dat de boerderij van oom Piet leegstond, en dat al jaren. Nu loop ik vast wat betreft mijn plannen. Ik wilde een zorgboerderij in het leven roepen. Weet je wat dat is?'

Annette is nieuwsgierig én oprecht belangstellend ook nog. Als Noortje is uitverteld zegt ze peinzend: 'Mensen die nergens terecht kunnen... bij niemand horen. Alsof je het over mij hebt! En over mijn moeder!'

Wat een zelfkennis, denkt Noortje. Ze zegt het niet hardop. Misschien kan ze in de toekomst nog iets betekenen voor deze vereenzaamde vrouwen.

Annette wil weten hoe het met de zieke baby is. Noortje vertelt wat ze weet, ook over Snezana met haar prachtige stem.

'Ik schrok me een hoedje van die wilde zwijnen!' besluit Noortje. Dan moet Annette opeens schateren en lijkt ze jaren jonger!

'Je bent geen buitenmens. Je moet oppassen of die dieren komen schooien om eten. Er lopen hier ook veel reeën. Da's heel wat anders. Mijn vader was jager en dat vond ik als kind afschuwelijk!'

Opeens staat Annette op. Bedankt haastig voor een tweede kop thee. Nee, ze kan moeder echt niet te lang alleen laten. 'Ze is alles wat ik heb. Ooit gehad heb ook!'

Noortje krijgt medelijden en zegt zo hartelijk als ze kan opbrengen dat Annette te allen tijde welkom is. 'En mochten mijn plannen verwezenlijkt worden, Annette, dan krijg je het te horen. Misschien heb je zin om erbij te zijn als Harm Wadee, Stefan Korpershoek en ik vergaderen?'

Dat kan Annette niet beloven. 'Ik laat moeder niet graag alleen. Er kan van alles gebeuren. Stel dat ze valt... of een aanval krijgt en ik er niet bij ben! Ik zou het mezelf nooit en nooit vergeven!'

Noortje begint over de tegenwoordige hulpverlening, de mogelijkheden die er zijn om Annette bij te staan. Per slot van rekening is ook zij niet meer zo jong. Nee nee nee... ze kunnen het samen goed redden. 'Moeder zegt altijd: Hulp vragen geeft maar verplichtingen! En zo is het! Bedankt voor de thee en tot ziens!'

De hoofddoek wordt weer strak omgebonden, wat Noortje doet denken: ze lijkt de koningin van Engeland wel tijdens een paardenrace of iets dergelijks!

'Ik zal moeder vragen of ze wat oude kleren kan missen voor die mensen!'
Alsof de weg van het fijnste asfalt is, zo soepel rijdt Annette weg, mijdt de kuilen en hobbels. Noortje staart haar na.
Rare dag heeft ze vandaag! Opeens wreekt de half doorwaakte nacht zich. Noortje maakt het zich gemakkelijk op de voorstoel en even later sukkelt ze in slaap.

Het is laat in de middag als Marcus van der Dussen bij haar aanklopt. Hij wil met haar praten. En trek in een bakje koffie heeft hij ook. Hij wacht niet tot Noortje het aanbiedt, maar wijst op de koffiepot. Of dat ding ook gebruikt wordt? Duidelijker kan hij niet zijn. De man ziet er doodmoe uit, stelt Noortje vast.
'Wat is nu de bedoeling...? Hier kunnen die mensen niet blijven. Dat beseft u toch wel? Er zijn al stappen ondernomen om ze er via een gerechtelijke procedure uit te krijgen. Kwestie van tijd!'
Marcus knikt. Hij is beter dan Noortje op de hoogte van de wettelijke regelingen en mogelijkheden. Hij kijkt verlangend naar het waterketeltje waar Noortje heet water uitschenkt op de met koffie gevulde filter. 'Ouderwets gezette koffie... lekkerder dan die uit de automaten!' zegt hij.
Hij legt zijn armen languit op tafel, de handen plat met gespreide vingers. 'Deze mensen zijn hier niet illegaal. Ze hebben papieren, maar dat neemt niet weg dat we tijdelijk woonruimte nodig hebben voor hen. De jonge vrouw, Snezana, is een begaafde zangeres. Het is zaak haar met de juiste mensen in contact te brengen. De anderen hebben een dak boven hun hoofd nodig. Ze zijn vanwege hun geloofsovertuiging gevlucht. U denkt misschien dat daar, waar ze vandaan komen, de strijd is gestreden? Was het maar waar. Er zijn gebieden waar het erg onveilig is. Zeker wat betreft de vrije meningsuiting. De mannen hebben een politiek verleden, zijn al jaren voortvluchtig. Ze hopen hier rust te vinden. Wat ik kom doen...'
Noortje zet een mok koffie tussen zijn handen neer. Een dankbare

blik is haar loon. Hij hapt van de bijgeleverde koekjes, drinkt zijn koffie op voor hij verder gaat met zijn pleidooi.
'Ik bied u namens de mensen excuses aan. Ze zijn uitgeput. Dat hebt u aan de baby gezien. Mijn dank voor uw geboden hulp! Hadden we niet van u verwacht...'
Noortje schudt haar hoofd. Ze begrijpt niet echt veel van de situatie. 'Wat bent u met hen van plan? Echt, ze mogen van mij éven blijven. Maar niet voorgoed. Ik heb plannen...'
Wat voor plannen? Daar is Marcus van der Dussen nieuwsgierig naar. Noortje houdt het kort. Vertelt over het idee een zorgboerderij te starten. Marcus knikt tevreden als hij ziet dat zijn gastvrouw hem ongevraagd nog een keer koffie inschenkt en dit keer zelf ook een kopje neemt.
Als ze zwijgt, knikt hij ten teken het goed begrepen te hebben. 'Wat let u om met deze mensen te beginnen? Nog vóór er sprake is van een opvangcentrum? Waarom schakelt u mijn mensen niet in bij de verbouwing, kortom, werkzaamheden die moeten gebeuren? De mannen zijn sterk, hebben altijd handwerk verricht. Hun vrouwen dito. Ze kunnen ondertussen de taal leren en proberen, met mijn hulp en die van anderen, hier voet aan de grond te krijgen! U zou goedkope werkkrachten hebben... zij zijn er mee geholpen!'
Noortje is tegenover hem gaan zitten. 'Hoe haalt u het in uw hoofd... alleen al het feit dat ze de taal niet spreken! Hoe moet een aannemer met hen communiceren? Hoe weet ik dat ik niet bedrogen word? Die mensen moeten eten en drinken, en goed onderdak hebben, want de boerderij wordt half gesloopt, denk ik.'
Marcus maakt een handbeweging. 'Natuurlijk werken ze niet voor niets, van het geld dat u ze betaalt, kunnen ze eten en drinken. En onderdak? Het wordt zomer. Tenten... misschien een paar oude caravans! Ik denk creatief!'
Noortje puft: 'Dat doet u zeker! Ik... ik moet het eerst met mijn raadsman overleggen! En bovendien het zelf goed overdenken. Want straks krijg ik ze hier nooit meer weg!'

Marcus lacht fijntjes. 'Het is toch uw bedoeling mensen in nood op te vangen? Met wie kunt u beter beginnen dan met deze opgejaagde mannen en hun vrouwen?'
Zodra Marcus de mok leegt heeft, gaat hij staan. Hij is lang, kijkt op Noortje neer. 'Het zijn geen misdadigers. Ik sta persoonlijk voor hen in. Natuurlijk kan niemand een getuigschrift overleggen. Maar neem van mij aan dat er geen reden is om hen het land uit te zetten. Ze zijn niet wat je noemt doorsnee-krakers!'
Zonder groet verdwijnt hij. Noortje kijkt hem na. De man heeft iets onverzettelijks over zich. Maar zijn plannen druisen tegen die van haarzelf in!
Stefan komt haar halen. 'Ik heb een lekker maaltje voor je klaarstaan. Kom op, ik heb het idee dat we elkaar weer veel te vertellen hebben!'
Noortje geeft maar wat graag gevolg aan zijn verzoek.
'Ik heb het gevoel alsof ik in een doolhof terecht ben gekomen en niet weet welke kant ik op moet!'
Stefan legt gemoedelijk een arm rond haar taille. 'Kom op, samen verdwalen is gezelliger dan in je eentje. Ik zag die man, Van der Dussen, bij je weglopen. Had hij wat bijzonders te vertellen?'
Pas wanneer ze aan het dessert toe zijn, is Noortje uitverteld.
Stefan leunt achterover, zijn stoel balancerend op twee poten. Hij houdt geen oog van Noortje af.
'Annette Schuilenburg, een kraakster die zangeres blijkt te zijn en dan ook nog eens een doodzieke baby. Veel voor één dag! En als klap op de vuurpijl het verzoek van Van der Dussen. Mag ik eerlijk zijn, Noortje?'
Ze knikt moe. Gelijk ergert ze zich aan zichzelf. Toegeven aan dit soort vermoeidheid is bijna dodelijk. Het kan het begin zijn van een depressie, waarin alles onmogelijk lijkt.
'Ik zie wel wat in het exploiteren van die mensen. Het mes snijdt aan twee kanten. Misschien zitten er wel vaklui bij. Timmerlieden, bijvoorbeeld. Ze hebben begeleiding nodig. De taal moeten ze leren... je zou hen daarmee kunnen helpen. Een leraar opscharrelen, bijvoor-

beeld. En onderdak... ik heb hier kamers over. Dat heb je zelf gezien. Want, lieve Noortje, ik zie wel wat in het coachen van dat zangeresje. Zo'n stem, zo puur, tref je zelden. Het zou jammer zijn als ze in verkeerde handen terechtkwam. Ze zal in staat zijn alles aan te grijpen om haar vooruit te helpen. Ja, ik denk haar te kunnen begeleiden. Of ik zoek iemand die dat nog beter kan. Zie je de krantenkoppen al? "Van krakers tot medewerkers..." of iets dergelijks!'
Noortje denkt aan de twee journalisten die het fenomeen kraken duidelijk uit de doeken zullen doen, en waarschijnlijk de bewoners van de boerderij van oom Piet in een kwaad daglicht zullen zetten.
Door haar toedoen.
'Hindert niet!' vindt Stefan als ze het uitspreekt. 'Het is je goed recht om boos te zijn. We blazen onze eisen ook niet echt af. We gaan eerst zien of het mogelijk om tot afspraken komen. Een soort kabinetsformatie!'
Ze lachen er samen om.

Voor ze die avond in bed kruipt, maakt Noortje op de oude laptop van Gerdien een verslag van de gebeurtenissen zoals die zich de afgelopen dagen hebben voorgedaan.
Als ze het geschrevene naleest, schudt ze haar hoofd. Je kunt het allemaal bespreken, een plan opstellen, maar dan is het nog altijd niets meer en niets minder dan theorie!
Ze sluit het programma af en schuift de laptop onder het bed. Morgen is er weer een dag. Ze zal nieuwe energie nodig hebben en wat is een beter middel dan een goede nachtrust?

15

NOORTJE WORDT PAS WAKKER ALS STERRE HAAR PROBEERT DUIDELIJK TE maken dat ze zo nodig 'moet'. Een paar vochtige likjes over haar gezicht zijn voldoende om Noortje te wekken.
Ze kijkt, voor ze Sterre de vrijheid geeft, goed om zich heen of er geen gevaar dreigt.
Terwijl het hondje geniet en dartel rondspringt, kleedt Noortje zich aan, overdenkend wat haar vandaag te doen staat.
Het gebrom van een naderend voertuig doet haar schrikken. Ze gebiedt Sterre binnen te komen, sluit de onderdeur en tuurt in de verte om te zien wat die nieuwe bedreiging inhoudt. Zo voelt het: alsof ze aan één stuk door bedreigd wordt!
Een enorme shovel hobbelt over het oneffen terrein, gevolgd door een zware vrachtwagen met daarop allerlei voor Noortje onduidelijke dingen.
De chauffeurs schijnen te weten wat hen te doen staat. Ze rijden langs de camper, laten de boerderij achter zich en koersen regelrecht op het bosgebied af. Pas bij de beek wordt er gestopt.
Niet lang daarna doet de shovel zijn werk. Noortje denkt het te begrijpen: er is een begin gemaakt met het ordenen van het gebied dat geschikt gemaakt moet worden voor recreatie. En ontstaat een pad, dat in noordelijke richting langs de beek gaat.
Machines doen het werk, mannen in overalls lijken precies te weten wat hun taak is.
Noortje maakt haar ontbijt klaar, babbelt ondertussen tegen Sterre. 'De knapzakroute. Wie weet wordt het hier ooit een beroemd stukje Nederland!'
Van der Dussen vertrekt ook deze morgen weer vroeg. De Hongaarse vrouw komt naar buiten met een mand wasgoed. Eén van de mannen loopt achter haar aan en spant tussen twee bomen een touw dat als waslijn moet dienen. Noortje denkt beschaamd aan haar wasmachine

thuis. Deze mensen hebben zich moeten behelpen met water dat moeizaam is verwarmd. Ze durft ondanks dat haar hulp niet aan te bieden, bang als ze is 'gebruikt' te worden.
Even later hangt de lijn vol ondergoed, broeken en truien en een paar versleten badhanddoeken.
Het gevoel bekruipt haar dat er in de wereld zoveel nood is. Wat heeft ze het zelf goed, altijd gehad. Een dak boven het hoofd, eten en drinken.
Vóór Noortje naar huis vertrekt, ruimt ze de camper op. In een kleine ruimte lijkt het snel rommelig, heeft ze ontdekt.
Tot haar verrassing duikt Annette Schuilenburg opnieuw op. Ze heeft haar beide fietstassen volgepropt met kleding. 'Oud, maar alles is schoon en heel. Het ruikt zelfs niet naar mottenballen. Kijk maar eens of je er wat mee kunt!'
Noortje zegt erg blij te zijn met deze daad van menslievendheid. 'Ik zat me net een potje te schamen... we leven zelf zo vredig in een zekere welstand!'
Annette kijkt met sombere blik naar de boerderij van oom Piet. Ze knikt. 'We zijn niet dankbaar genoeg, bedoel je? Ik hóór het moeder zeggen.'
Op dat moment komt Snezana naar buiten en ze loopt snel richting camper. Noortje vertelt over de prachtige stem van het meisje en de plannen die Stefan koestert. 'Konden ze maar wat beter Nederlands spreken!' zucht ze terwijl ze de deur voor de jonge vluchtelinge opent.
Annette houdt zich stil terwijl Noortje en Snezana moeizaam van gedachten wisselen. Opeens kan ze het niet meer aanhoren, ze bemoeit zich ermee. In vloeiend Duits stelt ze een paar vragen.
Ja, het is duidelijk wat Snezana kwam vragen: de moeder van de baby wil graag een bezoek aan het ziekenhuis brengen.
'Arminka so treurig...'
Noortje belooft haar te komen halen. Als Snezana is vertrokken, zucht ze dat ze zo graag naar huis had willen gaan.
Annette lijkt haar niet te horen, ze kijkt het tengere meisje na. 'Die

mensen zouden er bij gebaat zijn als ze onze taal spraken!' gooit ze er op haar stugge manier uit. 'Ik dacht zo: Ik kan ze best een eindje op weg helpen. Mits moeder het ermee eens is... ik ben immers onderwijzeres geweest en talen zijn van jongs af aan mijn hobby!'
De wonderen zijn de wereld nog niet uit. Noortje moet zich bedwingen Annette niet om de hals te vallen. Zeker weten dat deze vrouw haar van zich af zou duwen.
'Meen je dat nou? Gisteren heb ik het er met Korpershoek nog over gehad. Hij vond dat we dat gezelschap werk zouden moeten aanbieden... hij wil een taalleraar voor ze zoeken... Hen aan een nieuwe start helpen. En nu kom jij met dit aanbod!'
Annette haalt haar schouders op. 'Het is maar een idee. Moeder slaapt elke middag uren. En ze is momenteel best goed. Ze kan wel een uurtje of twee alleen zijn. Enne... eigenlijk vind ik zoiets zelf ook wel leuk!'
De twee vrouwen kijken elkaar strak aan, als willen ze de ander peilen en doorgronden. Noortje knikt. 'Het zou geweldig zijn. Zullen we het met Stefan Korpershoek overleggen? Hij is zo'n beetje de leider van ons project!'
In de verte razen de motoren van de zware machines, die voor een leek onduidelijk bezig zijn. 'Een wandelpad!' verklaart Noortje als ze Annette ziet kijken.
'Eindelijk. Dat waren ze allang van plan. Dat betekent wél dat de rust hier weg is...'
De Hongaarse vrouw is weer naar buiten gekomen, een van de mannen moet nog meer lijnen spannen. Noortje pakt de meegebrachte kleding en vraagt Annette mee te komen. 'Dan kun je kennismaken... als die vrouw ons tenminste niet te vlug af is!'
De kleding wordt dankbaar in ontvangst genomen. Annette wordt er verlegen van. Ze pakt de schuwe buitenlandse bij een arm en zegt: 'Ik wil u onze taal leren. Ja? Dan kunt u zich hier beter redden. En thuisvoelen!'
De vrouw veegt met een arm haar tranen weg.
Noortje houdt haar adem in. Wonderen bestaan dus echt. Tot voor

kort wist ze voor honderd procent zeker dat Annette door niets en door niemand uit haar isolement gehaald kon worden! En kijk nu toch eens!
Annette werpt een korte blik op Noortje. 'Ik heb niet veel tijd, maar ik ga toch even met deze vrouw naar binnen. Als je het niet erg vindt!'
'Ik niet!' Noortje kijkt hen na. Ze probeert zich in het lot van de buitenlanders te verplaatsen. Eigenlijk zijn er voor hen meer wonderen geweest: de hulp van Van der Dussen. Háár hulp aangaande de baby. En nu weer Annette...
Snezana komt weer naar buiten. Ze loopt fier rechtop, ze lijkt zelfverzekerder dan gisteren. Ze informeert wanneer het Noortje schikt om naar het ziekenhuis te rijden.
Noortje zegt het liefst nu meteen op weg te willen gaan. Zo heeft ze tenminste nog een stukje van de dag voor zichzelf over. Snezana belooft de boodschap over te brengen.
Arminka komt naar buiten gesloft, achter Annette aan. 'Ik ga maar weer eens!' deelt de laatste mee en stapt op haar fiets af. 'Ik heb een afspraak met de mensen binnen gemaakt. Ze zijn allemaal enthousiast. Moeder zal opkijken!'
Na een korte groet, bijna onverschillig, rijdt ze weg. Nagekeken door Noortje die bedenkt dat de houding van een medemens niet altijd bepalend is voor zijn of haar karakter.
Arminka stapt maar wat graag in de auto. Zwijgend leggen ze de korte afstand af. Noortje loopt mee naar binnen en brengt Arminka tot aan de afdeling waar de baby is opgenomen. Ze houdt een verpleegkundige aan en vraagt haar de moeder verder te helpen. Ze zegt tegen Arminka, terwijl ze nadrukkelijk op haar horloge kijkt: 'Tot straks!' in de hoop dat het overkomt.
Omdat ze toch moet wachten, besluit Noortje even naar Carmen te gaan. Kan ze meteen haar verhaal over Annette kwijt!
Carmen is druk aan het werk. Ze zit achter haar computer en lijkt blij te zijn even te kunnen pauzeren. Een collega die Noortje onbekend is, staat achter de toonbank en helpt een cliënt.

'Hoi die mam!'
Noortje gaat op een krukje zitten, bedankt voor koffie en steekt haar verhaal af. Carmen geniet mee. 'Misschien komt het toch nog goed en wel op een manier die je zelf niet gedacht had!'
Er komen nog meer mensen de apotheek binnen, en er rinkelt een telefoon, wat Carmen een hulpeloos gebaar met haar handen doet maken. 'Vanmiddag ben ik vrij. Zoek ik je op. Ben je thuis?'
Dat is wel de bedoeling!
Terug in het ziekenhuis vindt Noortje een opgeluchte Arminka. Een verpleegkundige probeert met haar te communiceren. 'De baby mag morgen naar huis... mits de verzorging goed is. Kunt u me daar over inlichten?' Dat kan Noortje zeker wel. Maar ja... de verzorging?
Ze doet haar verhaal, de zuster kijkt zuinig en zegt het met de behandelende arts te overleggen. Misschien is het beter de baby nog een paar dagen in het ziekenhuis te houden.
Arminka lijkt, nu het goed met haar baby gaat, een andere vrouw te zijn geworden. Noortje ziet de verlangende blik waarmee de vrouw om zich heen kijkt naar andere moeders die hun kind in een buggy duwen, en hen nastaart. Dat brengt Noortje op een idee. Ze rijdt met Arminka naar een kringloopwinkel. Zeker weten dat daar wel een betaalbare kinderwagen te vinden is!
Zodra Arminka de bedoeling doorheeft, straalt ze. Een buggy, babykleertjes, een badje op een standaard... Noortje krijgt er zelf plezier in. Bij de kassa heeft ze spijt niet meer gekocht te hebben. Zoveel geluk voor zo weinig geld...
Bij de auto gekomen, omhelst Arminka haar. Noortje wordt er verlegen van. Ze stapelt de spullen in de kofferbak, laat Arminka instappen en tevreden start ze even later de auto.
Als iemand haar vorige week verteld zou hebben dat ze vandaag met een kraakster van haar boerderij inkopen zou hebben gedaan, dan had ze geschaterd.
Nu schatert ze niét, maar diep vanbinnen is er die glimlach die voortkomt uit liefde voor de naaste. In dit geval Arminka.

Carmen is haar voor! Noortje ziet het meteen als ze 's middags de vertrouwde straat in rijdt. Het voelt alsof ze weken van huis is geweest! Carmen heeft, net als Gerdien en Peter, een sleutel.
Ze zet haar wagen achter die van Carmen.
Opgewekt loopt ze met een zak met daarin wasgoed, door de tuin naar de achterdeur. Ze is nog niet eens binnen, of ze hoort Carmen met stemverheffing praten. Nou ja, praten... het is meer schreeuwen. Geschrokken laat Noortje de waszak vallen en haast zich het huis in, de keuken en de gang door. De kamerdeur staat wijd open en het eerste dat Noortje ziet, is de rug van een man. Lieve help, het is niemand minder dan Bart, de buurman. Hij grijpt Carmen bij de bovenarmen, en het scheelt zo te zien weinig of hij rammelt haar door elkaar. Noortje slaakt een kreet: blijf van mijn kind af!
Geschrokken kijken beiden om en als ze Noortje gewaarworden, beginnen ze gelijk te praten. Noortje kan maar één reden bedenken waarom Bart zo woest is. Het moet met Carmens leugen omtrent het vaderschap van haar kind te maken hebben. Ze vraagt zich af hoe het hem ter ore kan zijn gekomen!
Carmen heeft gehuild, de huid rondom haar ogen is opgezet.
Bart laat zich op een stoel zakken, hij is van het ene moment op het andere gekalmeerd. 'Ik zal je uitleggen wat de reden van onze woordenwisseling is, Noortje.'
Noortje zegt het wel te kunnen raden. Carmen vliegt haar moeder om de hals. 'Mamma! Hij zegt zulke gemene dingen tegen me... hij doet alsof hij me wil aanklagen. Dat kan toch niet...'
Noortje trekt Carmen mee naar de bank. 'Zitten jij. Laat me raden: Bart heeft ontdekt wat voor leugens jij aan die vriend van je hebt verteld. Ja? En terecht is hij ziedend...'
Bart woelt met zijn beide handen door zijn rode haardos. 'Ik geef sinds kort gitaarles op de muziekschool. Daar leerde ik een jochie kennen dat ik de eerste beginselen moest bijbrengen. De zoon van Joris Willebeek. Jordy. Jawel... Toen de vader mijn naam hoorde, ging er bij hem een belletje rinkelen. Hij vroeg of ik, toevallig, de familie

Van Duinkerken kende... de moeder van ene Carmen zou bij mij in de straat wonen. Hij merkte ook nog op dat de naam De Wolf natuurlijk wel meer voorkomt... Ik was verbijsterd, maar die Willebeek liet me niet lang in het ongewisse. Hoe of het voelde als je iemand zijn vriendin afpakte...? Hij verachtte me zo'n beetje. Ik zou Carmen...' Bart stikt bijna in zijn woorden.
Noortje zegt op plechtige toon: 'Al is de leugen nog zo snel, de waarheid achterhaalt haar wel!!'
Carmen snikt dat ze het allemaal zo niet heeft bedoeld. 'Je weet toch dat ik alleen maar Joris wilde overtroeven!'
Noortje zegt verbaasd te zijn dat Joris er voor uit durfde te komen dat hij er een vriendin op na hield. 'Dat doe je toch niet!'
Bart is ondertussen wat gekalmeerd. 'Hij zei het in woede. Achteraf speet het hem! Hij was zo driftig als wat toen hij vernam wie ik was. Gelukkig was zijn zoon niet bij dit gesprek aanwezig. Willebeek smeekte me voor hij vertrok, nog net niet op zijn knieën, of ik vóór me wilde houden dat hij en Carmen dik met elkaar zijn geweest. Vooral omdat zijn vrouw zwanger is en hun relatie zich weer positief laat aanzien. Maar jullie moeten begrijpen dat ik ziedend op Carmen ben. Wie weet aan wie ze deze leugen nog meer heeft verteld. Als ik denk aan de ouders van mijn overleden vrouw... die zouden het besterven, denk ik, als het hun ter ore zou komen. Aafke en ik... we wilden wel kinderen... maar het kwam er niet van. Het is heus niet zo dat ze van me verwachten dat ik levenslang alleen blijf... dat niet!'
Carmen droogt haar tranen met een minuscuul zakdoekje. 'Ik bied je voor de tiende keer mijn verontschuldigingen aan. Echt, ik moest een naam kiezen voor de vader van mijn kind... er schoot me zo snel niemand te binnen en toen dacht ik opeens aan jou. Eigenlijk moet je het als een compliment zien!'
Bart lacht als een boer met kiespijn.
Noortje veert op. 'Ga zitten, Bart. Terwijl ik koffiezet, kunnen jullie het verder uitpraten. Hou op met elkaar de huid vol te schelden.

Eigenlijk zou ik je best als schoonzoon willen hebben... je moeder blij...'
Lachend loopt ze naar de keuken. En daar durft ze de tranen te vergieten die de hele tijd al hoog zaten. Een volwassen vrouw die zo met haar eigen leven en dat van anderen omgaat... als Carmen niet haar dochter was, zou ze er geen goed woord voor over hebben.
Ze zet een pot koffie, snijdt dikke plakken ontbijtkoek af en besmeert ze met roomboter. De woede van Bart kan ze zich goed indenken. Het zal je maar gebeuren dat je naam op die manier wordt misbruikt. Hopelijk blijft het gebeuren tussen haar vier muren! En die Joris zal uit eigenbelang zwijgen als het graf, neemt ze aan.
Terug in de kamer vindt ze Bart en Carmen naast elkaar zittend op de bank. Bart kijkt trouwharig op naar Noortje. 'Ik heb haar voorgesteld om elkaar wat beter te leren kennen. Wie weet wat er uit kan groeien!'
Noortje voorziet hen van koffie. Ze schudt haar hoofd. 'Zo van: de lamme en de blinde die elkaar helpen? Kom, vergeet het!'
Ze drinken zwijgend hun koffie. Noortje wilde wel dat ze de gedachten van haar dochter kon lezen. Wie weet waartoe ze in staat was vanwege haar gekwetste trots.
'Zal ik, om het goed te maken, je huis een beurt geven? Je moeder is toch weg... ik zie jou er niet voor aan dat je na je werk gaat staan poetsen!'
Uiteindelijk lijkt het een gezellig bezoekje te zijn, ware het niet dat de reden van hun aanwezigheid nogal verwarrend is.
Als Bart eindelijk opstapt, is het Carmen die hem naar de deur begeleidt. Noortje hoort ze lachen. Ze schudt haar hoofd.
Ze dwingt zichzelf aan het werk te gaan. Allereerst moet ze de wasmachine vullen. En in de droogtrommel zit nog was die gevouwen moet worden. Automatisch doen haar handen het werk.
Carmen komt haar gezelschap houden.
'Dat was heftig, mam. Ik was nog niet binnen of Bart kwam aangestormd. Hij had een vrije middag, was in de tuin bezig en zag me

voorbijkomen. Ik zwaaide nog liefjes naar hem. Jongens, niet gedacht dat er zoveel vuur in die man zou zitten!'
Noortje pakt een stapeltje handdoeken dat ze naar de keuken wil brengen. 'Ik begrijp jou niet. Ik heb het niet eens over je verhouding met die Joris. Maar de leugen die je hebt verkondigd... misschien was de waarheid wel beter geweest, meisje!'
Carmen sloft achter haar moeder aan, het huis door. 'Trek jij je er niets van aan dat ik doodongelukkig ben?'
Noortje wil roepen: gaan we op die toer?
Carmen besluit met: 'Misschien wordt het wel iets tussen Bart en mij. Zeg nou niet, mam, dat je hem voor jezelf wilt houden? Hij is echt te jong voor jou!'
Waarom beheers ik me toch altijd? vraagt Noortje zich af. Het antwoord weet ze wel: ze trekt toch altijd aan het kortste eind. En dan blijf je zitten met de herinnering aan een zinloze woordenwisseling, waar ze naderhand absoluut spijt van heeft. Ze zwijgt liever, vooral als haar geen geschikte woorden te binnen willen schieten.
'Ach, kind toch!' is alles wat ze uit kan brengen.
'Als ik je uitnodig om ergens te gaan eten, ben je dan weer goed op me?'
Noortje wil roepen: hoe oud ben je dan toch?
Carmen vleit, weet haar moeder over te halen.
Ze kiezen voor de chinees.
En ja, het wordt toch nog gezellig. Carmen deelt mee dat ze op haar werk de anderen heeft verteld zwanger te zijn. 'Leuke reacties, mam. Vooral de lui van de huisartsenpost waren geweldig. Ze vonden dat ik vooral naar de vroedvrouw op ons plein zou moeten gaan. En ik geloof dat ik die raad opvolg, mam. Dan kom ik de vrouw van hém, van Joris bedoel ik, ook niet meer tegen. Ik zie haar wel eens in de stad... Dat doet zo zeer, mam!'
Tranen boven de babi pangang. Noortje, die weer de trouwe, troostvolle moeder is. Carmen weet zich gelukkig snel te beheersen. Ze verbaast Noortje als ze zegt: 'Eigenlijk vind ik het slap van Joris, mamma.

Slap dat hij niet heeft doorgevraagd. En nu is hij doodsbenauwd dat Bart hem erbij lapt. Wát een huwelijk, zo zou ik het niet willen. Weet je dat ik wel eens bang ben geweest dat als Joris zou scheiden en wij eindelijk zouden kunnen trouwen... dat hij het nog een keer zou doen? Verliefd worden op een andere vrouw... een vriendin er op na houden? Dat ik ooit in de rol van zijn huidige vrouw zou belanden?'
Noortje dept haar lippen, neemt een slokje wijn en overdenkt de woorden van haar dochter. Ze knikt. 'Dat begrijp ik heel goed, lieverd. Probeer er boven te staan. Sluit deze periode af, als je kunt. Je staat er niet alleen voor... je hebt familie die van je houdt! Onvoorwaardelijk!'
Carmen kijkt haar moeder lief aan. 'Dankjewel, mamma. Jij hebt ons in je eentje toch maar netjes opgevoed, ook al wordt een van je kinderen een ongehuwde moeder... wat jij kon, dat moet mij ook lukken!'
Het zijn woorden die zowel de moeder als dochter nieuwe moed geven, moed om dóór te gaan op de ingeslagen weg.

16

De volgende dag is het alsof er geen uitstapje naar de camper is geweest. Noortje heeft meteen het ritme van alledag weer te pakken. Ontbijten, met Sterre lopen, koffiedrinken en de krant lezen, de post doorkijken, stofzuigen en het toilet schoonmaken. Als ze zover is, slaat de klok in de kamer twaalf uur, en vormt een duet met de rinkel van de telefoon.

'Peter, is er wat?'

'Wat zou er kúnnen zijn? Je klinkt paniekerig, mam. Nee, ik bel om wat leuks te vertellen. Dat vrindje van je, uit de Zuidmarke...'

'Stefan? Wat is er met hem?'

Peter klinkt bedaard als hij zegt: 'Niet iets wat ik weet of zou moeten weten. Nee, die andere. Die jij Swiebertje noemt...'

'Wadee, Harm Wadee.'

'Die man heeft toestemming gevraagd en gekregen om zijn grond af te staan aan het asiel. Vandaag nog worden er voorzieningen getroffen: er komen grote buitenhokken, ernaast wordt van een stuk woestenij een speelveld voor honden gemaakt. En binnen... je moest de tekeningen eens zien. In de grote stal worden binnenhokken gemaakt. En een ruimte waar katten zich de koning te rijk zullen voelen! Jaja, daar wordt ook vandaag aan begonnen. Men heeft mij gevraagd in de commissie te gaat zitten die toezicht moet houden. Vanwege jouw betrokkenheid bij het gebeuren, heb ik toegestemd. Fantastisch, mamma, wat daar gaat gebeuren. Ik ga straks een kijkje nemen. Zin om mee te gaan? Tussen het middag- en avondspreekuur in?'

Zin? Vanzelf. 'Gingen mijn plannen ook maar zo snel, jongen. Zolang die asielzoekers, zo noem ik hen maar omdat krakers zo'n naar woord is, zolang die mensen in mijn boerderij zitten, kan ik alleen maar dromen!'

Peter zegt dat ze niet zo moet somberen.

Na afscheid genomen te hebben, schiet Noortje in haar jas en maakt zich klaar om boodschappen te doen. De koelkast is zo goed als leeg. Bovendien wil ze etenswaar kopen voor de camper, spullen die lang houdbaar zijn. Blikjes, vruchtensappen, biscuit en dergelijke.
Met twee overvolle fietstassen keert ze huiswaarts. Na alles opgeruimd te hebben, is het tijd voor een verlate lunch.
Haar gedachten dwalen rondom Harm Wadee. Toch leuk voor die man dat hij wat leven om zich heen krijgt.
Peter meldt zich vroeger dan ze verwachtte. Meestal lopen zijn spreekuren nogal uit. Ze is telkens verrast te merken dat hij meer en meer op zijn vader gaat lijken. Gelukkig is hij standvastiger van karakter dan Willem.
'Je staat al klaar? Kom op, mam, dan gaan we poolshoogte nemen. Reken maar dat de directie van het asiel dolblij is met deze kans. Het is in de zomermaanden één en al ellende met die overvolle hokken! En het mooie is dat er weer een paar mensen aan het werk kunnen. Had meneer Wadee dit plannetje maar eerder bedacht!'
Noortje is het met hem eens. Ze zit tijdens de rit haar zoon te observeren. Ze is trots op hem. Even legt ze een hand over die van hem, op het stuur. 'Jij bent zo'n doorzetter!' zegt ze warm.
Een snelle blik opzij. 'Van wie zou ik dat nou toch hebben?' antwoordt hij plagend.
'Tja...' Op zijn manier was Willem dat toch ook. Want om je gezin in de steek te laten en je eigen plannen te maken, te emigreren... daar is toch ook doorzettingsvermogen voor nodig.
Peter vertelt over de gevallen die hij vanmiddag onder handen heeft gehad. Ze lachen samen om de capriolen van een jonge kat die de spreekkamer op z'n kop zette, en Noortje leeft mee met de hond die treurt omdat zijn maatje naar de eeuwige jachtvelden is vertrokken.
Noortje kijkt tevreden naar Sterre, die op haar voeten slaapt. Ze is nog jong, een sterke hond. Gezond tot en met. Maar ooit is ook haar hondenleventje ten einde. Soms, vindt Noortje, kan ze echt somber

zijn. En vergeet ze te genieten van alles wat goed gaat, en mooi is.
Vanuit de verte zien ze al dat er gewerkt wordt rondom de boerderij van Wadee. Mannen in rode overalls zijn bezig een stevig hekwerk te plaatsen. Een andere groep heeft een stuk daaraan grenzende grond geschoond en het ziet er naar uit dat daar graszoden worden gelegd.
'Een paradijs voor die dieren!' geniet Noortje.
Ze worden hartelijk begroet door een man die zich voorstelt als de beheerder van het dierenasiel in de stad. Hij zegt in zijn nopjes te zijn met de snelle uitvoering van de plannen.
Wadee komt bij hen staan.
'En dan te bedenken dat het allemaal is begonnen met de plannetjes van dit vrouwtje hier!' Noortje bloost. Dat is zij, 'dit vrouwtje hier'.
Harm schetst hun eerste ontmoeting: Sterre, die een bad in de beek had genomen en zich daarna door de modder had gerold.
De man van het asiel zegt Sterre een mooi diertje te vinden. Of Noortje plannen heeft met haar te fokken?
Ze antwoorden gelijk, moeder en zoon.
'Welnee!' roept Noortje.
En Peter zegt: 'Wie weet!'
Noortje trekt de riem zo strak mogelijk aan, als vreest ze dat het dier ter plekke in beslag genomen zal worden om zich voort te planten.
'Mam... ze is nog veel te jong!' stelt Peter haar gerust.
In optocht lopen ze naar de werkzaamheden. Harm vertelt dat het binnen een puinhoop is. Men is bezig het interieur van de oude stal te slopen. Gelukkig is gebleken dat het gebouw van goede kwaliteit is.
Peter loopt terug naar zijn wagen om laarzen te halen, hij biedt Noortje ook een paar aan. Ze heeft er geen moment aan gedacht haar bloemetjesexemplaren mee te nemen.
Harm zegt drinken voor de arbeiders te zullen halen. 'Ze willen allemaal cola. Het is me te veel werk om voor zo'n ploeg thee of koffie te zetten! En bovendien hebben die lui zelf van alles bij zich.'
Noortje dwaalt al snel weg van de werkzaamheden, ze staart naar haar

eigen boerderij, wil weten of daar wat gaande is. Tot haar opluchting heeft iemand het spandoek met het krakersymbool verwijderd. Dat waardeert ze. Aan de geïmproviseerde waslijnen wappert weer wasgoed.
Dan ziet ze beweging: er komen een paar mensen naar buiten. Eén van hen is Annette Schuilenburg. Ze gebaart naar de Hongaarse vrouw die een beetje Nederlands kan spreken.
Noortje verstart. Kijk nou toch... alles gaat zonder haar gewoon door. Annette redt zich prima, zonder haar inmenging bemoeit ze zich met de vluchtelingen. Taalles? Waarschijnlijk wel.
En zie... de Hongaarse vrouw wandelt met Annette, die haar fiets duwt, mee. Het gaat richting boerderij Schuilenburg. Hoe is het mogelijk!
Noortje wendt zich abrupt af. Waarom steekt het haar nu toch dit alles te zien? Wie denkt ze wel dat ze is? De directrice van de Zuidmarke, iemand die toestemmingen moet geven als het om onderlinge contacten gaat, of nieuwe plannetjes?
'Mam, ik ga ervandoor. Je wilt hier toch niet blijven, neem ik aan?'
Nee, zeker niet, Noortje wil naar huis. 'Ik heb hier niets te zoeken, lieverd!' zucht ze.
Peter helpt haar, staande bij de auto, de laarzen uit te trekken. 'Ik moet nog even langs een patiënt. Er was zojuist een telefoontje. Het gaat om een paard op de manege.'
Hoewel Noortje nooit bij de manege is geweest, weet ze wel waar die is. Eigenlijk niet eens zo heel veel verder dan de Zuidmarke.
'Het heette daar vroeger de Oostmarke. Ooit geweten, mam? De ruiters komen naar mijn weten nooit deze kant op. Ze kiezen altijd voor de route door het bos dat grenst aan de manege. Er is sprake van nieuwe routes... dwars door de Zuidmarke heen de heide op.'
Noortje vertelt van de bosarbeiders die daar druk in de weer zijn. 'Ze willen het meertje ook schoonmaken. Ik geloof dat de beek daarin uitmondt. Zover ben ik nog niet geweest.'
Peter grinnikt. 'De knapzakroute, volgens mijn schoonbroer!'

Noortje wacht in de auto tot Peter klaar is met zijn patiënt. Ze slaat de komende en gaande ruitertjes gade. Veelal meisjes, die nergens anders oog voor hebben dan voor de pony's. Capjes op hun hoofden, stoere laarzen aan. En heuse rijbroeken. Een wereldje apart.
Als Peter weer naast haar schuift, zegt hij opgelucht te zijn dat het niets ernstigs was met het paard.
'Je ruikt naar paard!' stelt zijn moeder vast. 'Wij kunnen zelf ook wel zoiets beginnen. Opvang voor zieke paarden... een kliniek, dat was toch ooit jouw ideaal?'
Peter gaat gretig op die woorden in.
'Plannen genoeg, mam!' Met die woorden nemen ze even later afscheid. Noortje zwaait haar zoon na, die toeterend wegrijdt uit de stille straat.
Zittend aan de keukentafel overdenkt Noortje de middag. Wadee ziet zijn plannen gerealiseerd, en dat is snel gegaan. Annette, die voor niets en niemand belangstelling had, buiten haar moeder om, is uit haar schulp gekropen om de krakers hulp te bieden.
Op dat moment belt Stefan. Hij zegt een paar dagen naar Londen te gaan. 'Jammer dat je niet mee kunt, maar ik heb zo'n overvol programma. Met een stel lui gaan we tv-opnames maken voor een programma dat we overal in Europa al verkocht hebben. Met veel Amerikaans talent. En schrik niet... ik neem Snezana mee. Ze past precies bij de groep. Een zigeunertypetje. Denk nu niet dat ze stond te springen van enthousiasme! Ze was bang... ik heb haar moeten overhalen en dankzij de bemoeienissen van Van der Dussen is het me gelukt haar op andere gedachten te brengen. Dit is de kans van haar leven... ze heeft namelijk een eigen repertoire. Wat ik hoop, is dat mijn vriend uit Londen haar van me overneemt. De mogelijkheden ginds zijn heel wat groter dan hier!'
Noortje is beduusd. Dat praat maar over Engeland alsof het naast de deur is. En welja, we nemen Snezana mee...
Stefan vertelt over het programma dat in kerstsfeer gehuld zal zijn. Haha, nog amper lente en ondertussen wordt er aan een kerstshow

gewerkt. Maar dat kent ze, zo is het ook op de redactie van het blad waar Gerdien werkt.
'Dus, lieve meid, we zien elkaar pas over een kleine week weer. Ik zal wat voor je meebrengen. Misschien een mok met de afbeelding van de queen?'
Noortje stottert dat ze dat wel leuk zou vinden.
'Een knuffel van me, Noortje. Een echte hou je te goed! Pas op jezelf! En doe geen gekke dingen!'
Poeh, wié doet er hier gekke dingen? Gaat naar Engeland, neemt een nog onbekend zangeresje mee en paait haar met schone beloften?
'Ik zal op je huis passen!' zegt Noortje schorrig.
'Dat waardeer ik, meisjelief. Hou je taai!' Met die woorden neemt Stefan afscheid. Noortje staart naar de telefoon in haar hand, is doof voor de zoemtoon.
Het duurt een tijdje voor ze weer bij de les is. Nu komt er nóg een naam bij op haar lijstje. Want ook Stefan neemt grote stappen. Kent haar er pas in als ze een feit zijn.
Ze neemt zich voor om morgenvroeg terug te gaan naar de camper. Ook al kan ze er niets bijzonders doen, niets anders dan wachten op de dingen die gaan gebeuren. En dat kan heel erg lang duren!

Het weer is omgeslagen. De temperatuur daalt voelbaar, geen zon te zien, maar in plaats daarvan wint een wolkendek terrein.
Zittend in de camper vraagt Noortje zich af wat ze hier doet. Ze kijkt verlangend naar de boerderij. Het spandoek mag dan wel weg zijn, er is nog niets ten goede veranderd. Aan de lijn hangen een paar kletsnatte, ribfluwelen broeken. Misschien zijn het kleren die van Maries man zijn geweest.
Als ze ziet dat Arminka naar buiten komt en recht op de camper afstevent, leeft Noortje op. Natuurlijk, Arminka wil naar haar kindje.
De Hongaarse vrouw staat in de deuropening en kijkt Arminka na. Noortje opent de deur. 'Baby?' informeert ze. Arminka knikt.

Samen rijden ze de weg naar het ziekenhuis en daar krijgt de moeder te horen dat de baby alleen mee mag als er een goede verblijfplaats is. De vrouwelijke arts is streng, kijkt Noortje aan alsof zíj verplichtingen heeft.
'Een schoon en warm vertrek, schone flesjes... dito kleertjes. De baby is sterk, dat wel. Maar toch vrees ik dat er een terugval zal plaatsvinden als hij in het één of andere krot terechtkomt. Waar woont dat vrouwtje eigenlijk? Kunt u me er meer over vertellen?'
Dat kan Noortje, en de dokter luistert geboeid. Als Noortje is uitgepraat, schudt ze haar hoofd. 'Dat is toch geen omgeving voor een baby. Het zal er vochtig zijn. Misschien schimmelig, weet ik veel! Ongedierte... Ik zal met een collega overleggen wat ons te doen staat. Probeert u ondertussen de moeder uit te leggen wat er zoal speelt!'
Noortje ziet opperbest dat Arminka over haar toeren is. Ze staat handenwrijvend naast Noortje, heel klein en tenger lijkt ze opeens. Noortjes hart wordt geraakt. Ze slaat een arm om het magere meisje heen en zegt: 'Het komt wel goed'. Zodra de arts terugkeert met een collega, doet Noortje een stap in hun richting.
'Het is al in orde, jullie kunnen gerust zijn. Ik neem hen beiden mee naar mijn huis. Een schoon en verwarmd huis... Niks mis mee. En ik zorg dat ze op tijd met haar kind voor de controles komt.'
Kijk, dat is nou naastenliefde, vinden beide artsen. 'Weet wel waar u aan begint. Er zijn gevallen bekend van mensen die hun logé maar moeilijk kwijtraakten...'
Dat kan Noortje op dit moment niet veel schelen. Ze loopt mee naar de kinderafdeling waar de baby tussen andere kleintjes diep in slaap is. Arminka straalt als ze begrijpt dat ze haar baby toch mee mag nemen. Wat er in haar om gaat, kan Noortje slechts raden.
Een verpleegkundige komt een flesje medicijn brengen. Plus een vervolg recept. 'En u krijgt van ons speciale voeding mee, dat kunt u zelf halen bij de apotheek.' In de papieren zak die Noortje meekrijgt, zit ook een zuigfles plus reservespeen en zelfs een paar papieren luiers. Na het afhandelen van de formaliteiten, lopen ze naar de uitgang.

Tja, nu is het een kwestie van uitleggen...
Ze rijdt regelrecht naar haar eigen huis. Arminka kijkt met bange ogen om zich heen. Noortje beduidt dat ze moet uitstappen, neemt de baby van haar over en knikt met haar hoofd dat Arminka haar moet volgen.
Eenmaal binnen, valt Arminka van de ene verbazing in de andere. Noortje begrijpt dat haar toch eenvoudig ingerichte huis voor Arminka het toppunt van luxe moet zijn.
Ondertussen draaien haar hersens op volle toeren. Op zolder moet het wiegje van haar eigen kinderen nog staan. Carmen zal er nog geen belangstelling voor hebben, neemt ze aan. Bovendien, als Carmens baby geboren wordt, is dit kindje er al uitgegroeid.
Arminka volgt Noortje op de voet als ze naar boven loopt. De logeerkamer is zelden nodig, maar is klaar voor gebruik. Noortje legt de baby op bed. Het kindje slaapt rustig door. Voor het eerst vraagt ze zich af of Arminka een man heeft... als dat zo mocht zijn, kan ze hen niet scheiden. Of wel? Een compleet gezin te gast hebben is wat anders dan een moeder en haar baby.
In plaats van spreken bekwaamt Noortje zich in een zelfverzonnen gebarentaal. Ze wijst: jij, Arminka, gaat in dat bed slapen. Twee handen tegen haar wang, ogen dicht: slapen. Baby? Een snelle beweging met beide handen: wachten.
Noortje haast zich naar de overloop, trekt de zoldertrap omlaag en rept zich naar boven. Daar, het wiegje. Keurig onder een oud laken. Ze sjort het rotan geval naar de opening, waar Arminka haar met bange ogen gadeslaat. Maar zodra ze ziet wat er naar beneden komt, klapt ze in haar handen. Een slaapplaats voor haar kind!
De baby is wakker geworden, jammert zachtjes.
Terwijl Arminka haar kind op de arm neemt, schuift Noortje de wieg de logeerkamer in. De lakentjes zijn heel, maar niet echt fris. Geen nood, ergens in huis is daar wel vervanging voor te vinden. Een enorm groot en bijna nooit gebruikt strandlaken doet dienst als onderlegger. Het dekentje ruikt zelfs niet stoffig. Toch klopt Noortje

het gevalletje uit door het geopende raam. Uit de linnenkast haalt ze een laken dat sinds de invoering van dekbedden nooit meer is gebruikt. Ze scheurt het radicaal in twee stukken en zie, er is een lakentje geboren. Arminka uit kreetjes van vreugde.
Ze begint te praten, te ratelen. Noortje knikt maar eens, neemt haar mee naar beneden en wijst op de zak waar de fles en voeding in zitten, die de verpleegkundige hun heeft meegegeven.
Arminka is niet dom en weet goed hoe ze de fles moet klaarmaken. Ze wijst op haar borsten en schudt haar hoofd. Geen moedermelk meer... Een magnetron is haar vreemd, maar begrijpen doet ze het allemaal wel.
Even later zit ze ingelukkig met haar kind in de armen op Noortjes bank in de kamer. En Noortje denkt, nee, eigenlijk bidt ze: Lieve God, waar ben ik aan begonnen?

Tot haar dankbaarheid komt Carmen langs. 'Eigenlijk, mam, was ik van plan Bart met een bezoekje te vereren. Maar ik kan toch niet zonder meer jouw huis voorbijrijden!'
Carmen zet grote ogen op als ze kindergehuil hoort. Ze gluurt op Noortjes aanwijzingen om het hoekje van de kamerdeur.
'Mamma... wat ben je nóu toch begonnen? Is het niet genoeg dat ze de boerderij van oom Piet hebben geannexeerd? Waar ben je aan begonnen? Mam dan toch!'
Noortje schokschoudert. 'Noodgeval. Tja... maar ik heb wel een probleem. Ik moet naar de boerderij, want de mensen daar denken vast dat ik Arminka heb ontvoerd. Nou ja... dat is ook wel zo, maar ik moet toch gaan vertellen dat alles in orde is!'
Carmen sluit de deur geruisloos. 'Jij moet hier blijven, mam. Dat meisje zou van streek kunnen raken als je weggaat. Ik ga er wel heen om het duidelijk te maken. Dat komt wel goed... nog beter: ik vraag of Bart meegaat. Voor het geval ze me willen inlijven of zoiets!'
Dat vindt Noortje een onmogelijk voorstel.
'Laat die man toch met rust!'

Carmen schudt haar hoofd. 'Mam, Bart de Wolf is een prima kerel. En weet je wat ik graag wil? Hem testen, kijken of hij echt zo aardig is als ik hoop dat hij is. Tegenwoordig hoeven vrouwen niet meer te smachten, te wachten en te hopen tot een man het initiatief neemt!'
Ze omhelst haar moeder, trekt haar mee in een rondedansje en zegt daarna eerst de baby te willen bewonderen.
Arminka krimpt in elkaar bij het zien van de jonge, sterke vrouw die ze als een bedreiging ervaart. Carmen wijst naar de baby, daarna op haar eigen buik. Wacht... die vrouw is zwanger! Ze krijgt een kindje, net als ze zelf heeft... man? Heeft de dochter van haar weldoenster een man? Dat Carmen Noortjes dochter is, zag ze meteen. Wacht, het woordje 'man' kent ze. Ja, deze Arminka is niet dom. Ze kent een paar begrippen, zoals 'man', 'huis', 'water'. En nog een paar...
Carmen schudt van nee, pakt de ringloze hand van de vrouw en houdt die van haar ernaast. Arminka schudt haar hoofd in een gebaar van meeleven.
'Nu ga ik, mam! Je ziet ons straks wel terugkomen!'
Noortje heeft het nakijken.
Ze maakt wat te eten voor Arminka en zichzelf. De baby wordt boven in de wieg gelegd, het is een zoet kindje dat lief gaat slapen.
Later op de avond overdenkt Noortje wat ze gedaan heeft; zou het gevolgen hebben? Hoe lang kan ze deze vrouw onderdak bieden zonder zelf in de problemen te komen?
Arminka laat merken doodop te zijn. Noortje wijst haar de badkamer, haalt een nieuwe tandenborstel uit de verpakking en wijst hoe de kranen werken. Een nachthemd heeft ze ook voor deze vrouw, plus schoon ondergoed. Ze is zo vol van alles, dat ze niet anders kan dan Gerdien bellen.
'Het is waarschijnlijk onverstandig wat jij hebt gedaan, maar ik zou het net zo gewild hebben, mam. En Carmen is er met jouw buurman vandoor? Ik weet niet wat mijn zusje bezielt, mam, maar ze is de laatste dagen zichzelf niet! Als dat maar goed gaat!'

Het is een vrolijk stel dat laat in de avond het huis binnenstapt.
'We zijn op bezoek geweest... jawel, mam! We mochten binnenkomen. Die Hongaarse vrouw vertaalde alles wat we vertelden en later kwam die Hollander erbij. Hij was je erg dankbaar, mam! Dat moesten we vooral vertellen. Hij wilde je adres en telefoonnummer... hij neemt contact met je op!'
Noortje kijkt van de één naar de ander.
Bart lacht verlegen, kijkt opzij naar Carmen en daarna weer naar Noortje. 'Weet je, Noortje, mensen kunnen om méér redenen dan, eh eh... uit liefde met elkaar optrekken, is het niet, Carmen?'
Carmen gaat op haar tenen staan en zoent Bart pardoes op z'n wang. Hij verschiet van kleur, kijkt beschaamd naar zijn buurvrouw.
'Ik kijk nergens meer van op.' Het komt er stug uit. Hoe was het ook weer? De lamme en de blinde.

Hoewel Noortje laat haar bed opzoekt, wil de slaap niet komen. Waar is ze dankzij haar erfenis in terechtgekomen?
Moest Willem eens weten!
Nee, van slapen komt niet veel. Pas bij het krieken van de dag eist haar vermoeide lichaam rust en valt ze in een slaap die niet dromenvrij is.
En veel te vroeg is ze weer wakker. Gewekt door babygehuil...
Een bijna vergeten sensatie. Maar ook een weten dat dit voorlopig haar lot is.
Enfin, ook dat zal wel, wéér, wennen...

Zowel Carmen als Gerdien reageert met gemengde gevoelens: mam die een vluchtelinge met haar kind in huis heeft gehaald. Maar Gerdien ziet de situatie al snel beroepsmatig en Carmen, ach, Carmen is, als het er op aankomt, idolaat van de baby.
Ook de buren leven mee, komen met allerhande spullen aanzetten.
Arminka komt helemaal los van zoveel aandacht en naastenliefde.
Af en toe wordt het Noortje te veel, haar huis is háár huis niet meer.
Het is een komen en gaan van mensen.

Na een paar dagen is Arminka vertrouwd met de apparatuur in huis en durft ze zelf naar de dichtstbijzijnde supermarkt te gaan. Kortom: ze is gewend. Noortje besluit naar de camper te vluchten.
Het weer laat zich van de beste kant zien. Heel de natuur leeft.
De boerderij van oom Piet gaat schuil achter groen. Het bouwvallige lijkt opeens minder erg.
Rondom de woning van Wadee is het nog een drukte van belang. Zo te zien is de buitenafdeling klaar, maar binnen wordt nog flink gehamerd en geboord. Noortje rijdt er voorbij zonder te stoppen.
Ze parkeert de auto naast de camper, houdt ondertussen de boel rondom de boerderij in de gaten.
Ze ziet een paar 'bewoners' met elkaar praten, ze wijzen op de gevel en maken een indruk alsof ze iets van plan zijn. Dan ziet ze dat er op het dak een man zit, schrijlings tussen twee schoorstenen in. Hij roept iets naar beneden en gooit daarna een kapotte dakpan omlaag, gevolgd door nog een paar exemplaren. Nu pas ziet Noortje de ladders die tegen het woongedeelte staan. Eén van de mannen klautert met een nieuwe dakpan onder zijn arm omhoog en Noortje kan niet anders dan vaststellen dat hier gewerkt wordt aan het herstel van het dak. Zonder dat het haar gevraagd of meegedeeld is.
Verbluft gaat ze de camper in, laat zich op een bank zakken en volgt met haar ogen de werkzaamheden.
Tijdens haar afwezigheid is er nog meer gebeurd. Naast het huis staat een container, waar stukken en brokken hout plus afval uitsteken.
Een gekraakte woning bezitten is één ding, dat er ook nog eens aan gesleuteld wordt, is voor haar het toppunt van brutaliteit.
Dan stopt naast haar auto de wagen van Marcus van der Dussen. Noortje veert op, ze zal hem eens flink aan de tand voelen!
Maar hij is haar voor, opent de deur zonder geklopt te hebben. 'Ik heb u gebeld, maar kreeg geen gehoor. Tja, we zijn vast begonnen. Straks komen er een paar mensen van een bemiddelingsbureau praten. U weet wel: dat zijn lui die het functioneren van zorgboerderijen begeleiden. De mannen daar...' hij wijst naar het dak, waar

nog steeds activiteit is te zien, 'ze begonnen zich te vervelen. Ik kan de papierwinkel nu eenmaal niet sneller dan ik al doe, afhandelen. Zodoende bracht ik ze op het idee vast een begin te maken met het herstel.'

Noortje knikt, ze heeft het gevoel zich op een hellend vlak te bevinden. Ze heeft nergens meer grip op.

Marcus informeert naar Arminka en knikt tevreden als Noortje verslag doet. Hij gaat tegenover Noortje zitten en plant zijn ellebogen op tafel. 'Geloof me, u kunt niet buiten die coördinatoren. Ze begeleiden, helpen met het kiezen van bewoners, en ze beheren de wachtlijsten. Hebt u al een beslissing genomen rondom de huidige bewoners? Er zijn een paar zeer handige timmerlieden bij, ze willen graag werken. Onder bepaalde voorwaarden. Het is niet hun bedoeling dat ze hier voorgoed blijven. Mijn organisatie is bezig hen stuk voor stuk elders te plaatsen, maar ook dat vergt tijd!'

Marcus praat maar en praat maar, ondertussen komt Noortje behoorlijk onder de indruk van zijn activiteiten. Hij is een harde man, niet iemand om tegen je in het harnas te jagen. Maar hij gáát voor wat hij doet.

Noortje stamelt dat ze het gevoel heeft niet meer méé te doen. Marcus lacht haar uit. 'Dat verandert nog wel. En snel ook. Wat dacht u als vrouw in uw eentje te kunnen uitrichten? Er is hier meer nodig dan één paar vrouwenhandjes!'

Lachend laat hij haar alleen, ze kijkt hem verontwaardigd na. Een paar vrouwenhandjes. Hij moest eens weten wat 'een paar vrouwenhandjes' in een mensenleven zoal verrichten!

Tegen twaalf uur – Noortje heeft net een blikje tomatensoep opengetrokken – arriveren de mensen van de organisatie. Een vrouw à la de directrice van het zorgcentrum, plus twee heren, stappen uit een soort terreinwagen. Ze zijn gewapend met klemborden en koffertjes. Marcus heeft hen nog eerder dan Noortje ontdekt. Hij geeft handen, wijst naar de camper. 'Dag soep, tot straks!' zucht Noortje en draait het gas uit.

Nu wordt er wél netjes geklopt, Noortje recht haar rug, strijkt een haarsliert van haar voorhoofd. 'Welkom!' zegt ze uiterlijk bedaard.
Het wordt vol in de camper. Marcus blijft erbij staan. Papieren worden uit de koffertjes gehaald, plus instructieboekjes en ander voor Noortje onduidelijk materiaal.
Een uur later is één en ander haar meer duidelijk en begrijpt ze dat ze inderdaad, zoals Marcus insinueerde, bezig was met niet-uitvoerbare dromen.
Wat ze nu onder ogen heeft, maakt veel duidelijk. Er moet niet alleen verbouwd worden, nee, er moet beslist worden wat het meest praktische is.
Ook zegt de bazige mevrouw van het gezelschap dat ze contact met de bevoegde instanties zal opnemen. Ze lacht wat honend. Met dat bijltje heeft ze al zo vaak gehakt... nee, de hulp van Noortje is overbodig.
Tegen de tijd dat de bezoekers opstappen, duizelt het haar. Het gezelschap zegt na het middaguur een afspraak op het gemeentehuis te hebben. Noortje heeft allerlei formulieren moeten ondertekenen om hun bevoegdheden te geven.
Marcus vertrekt gelijk met de gasten en rijdt even later weg.
Noortje warmt haar soep op, smeert een broodje en langzaam dringt het tot haar door dat er vandaag een grote stap is gezet.

Wat Noortje noch Stefan voor elkaar kreeg, lukt de mensen van de organisatie wonderwel snel.
Nee, de schimmige plannen die er waren voor de Zuidmarke, worden elders gerealiseerd. Alleen het natuurgebied rondom krijgt een opknapbeurt. De aangelegde paden noden tot fietsen en wandelen. Het kleine meer wordt geschoond, overtollige begroeiing moet eraan geloven. De oever wordt gestut met een nieuwe beschoeiing. Het is een ideaal visplekje, begrijpt Noortje.
Kortom: op de Zuidmarke, tot voor kort een vergeten stukje Nederland, is het één en al bedrijvigheid.

De krakers werken onvoorstelbaar hard, ze hebben er plezier in. En de taalfjuf komt dagelijks...
Eigenlijk zou Noortje het liefst naar haar eigen huis terug willen, ware het niet dat ze zeker weet ook daar geen rust te zullen vinden. Ze doet haar vrijwilligerswerk, samen met Sterre. Ondertussen zijn er meer hondenbezitters bij gekomen, die maar wat graag een steentje aan het geluk van de eenzame mensen bijdragen.
En dan belt Stefan: hij is enthousiast over de kerstshow die gemaakt wordt. En de stem van Snezana brengt de deskundigen in verrukking 'Dus, lieve meid, je moet me nog een paar dagen langer missen!'
Gerdien en Martijn komen regelmatig, in verband met de artikelenreeks waar ze erg enthousiast over zijn. 'En ja, mam... we zijn het ééns geworden!' Dat maakt Noortje toch wel erg blij.
Gerdien gelukkig, nu Carmen nog... Carmen, die zegt geleidelijk aan Joris los te kunnen laten. Ja, ze begint hem te minachten om zijn slappe houding, om niet te durven kiezen. Of het ooit wat wordt met Bart, de buurman?
'Niet meteen... maar we kunnen het samen wel erg goed vinden. En als ik mijn handen niet uit de mouwen steek, mam, is het binnen drie dagen een puinhoop in zijn huis!'
Loslaten, houdt Noortje zichzelf voor.
Samen met Sterre maakt ze lange wandelingen, om daarna doodmoe thuis te komen waar Arminka vaak al een maaltijd heeft voorbereid. Noortje voelt zich ontheemd. De enige die iets van haar gemoedstoestand begrijpt, is Daniël Pruisen, de boekhandelaar. Hij plaagt haar, houdt haar een spiegel voor. Herinnert Noortje er aan hoe blij ze was toen ze hem kwam vertellen over de erfenis, de boerderij van oom Piet.
'Nu worden je dromen waar, en waar jij mee zit, is dat je niet in je eentje de boel hebt kunnen verbouwen, nee, daar heb je vaklui voor nodig. En ja... die heb je ook van node wat betreft het besturen en verwezenlijken van je plan. Je kunt niet in je uppie uitmaken wíe er komen wonen... alles wordt je uit handen genomen. Dáár zit je mee,

Noortje! Word eindelijk nuchter, trek je vrolijke laarzen aan en ga wat doen! Desnoods begin je aan je moestuintje! Van spitten word je lekker moe... slaap je goed, krijg je nieuwe energie!'
Noortje beseft dat haar oude vriend meer dan gelijk heeft. Als ze vertelt dat Arminka terug wil naar de groep, samen met de baby, juicht Daniël dit toe: Noortje moet geen taken vasthouden als mensen aangeven het zelf weer te kunnen.
Dit keer verlaat ze de winkel zonder wat gekocht te hebben!

Een stukje grond dat geschikt is voor moestuin, is gauw gevonden. Wadee weet zich even vrij te maken om haar te helpen. Samen met één van de krakers bakent Noortje een stukje grond af, precies op de scheiding van haar gebied en dat van de vereniging tot natuurbehoud. Niet te dicht bij de boerderij, in verband met de ophanden zijnde verbouwing.
Al wiedend, spittend en schoffelend krijgt Noortje plezier in haar werk. En... leert ze om de werkelijkheid te scheiden van haar fantasieën. Zwaaien met een toverstokje is er niet bij... Er zijn hoofdzaken, maar ook bijzaken, ze moet haar ideeën, zoals ze die in haar hoofd gezet heeft, bij stellen. Jawel, ze is de eigenaresse van de boerderij van oom Piet, de kapitein. Maar niet één kapitein kan in zijn eentje een schip naar de bestemming varen!
Tevreden met zichzelf en haar gedachten, blikt Noortje om zich heen. De Hongaarse haalt was van de lijn, de baby van Arminka slaapt in de wagen in de schaduw van een oude boom. De mensen zijn niet langer krakers, maar mensen die op weg zijn.
Moe, maar voldaan zoekt Noortje die avond haar huis op, ze trekt zich met een grote mok thee terug in de tuin. De temperatuur is aangenaam, ze is niet de enige die ervan geniet. In de omliggende tuinen hoort ze het monotone zoemen van een maaimachine, mensen zitten, net als zij, buiten. Er klinkt getinkel van glazen, lachen.
Noortje voelt zich – ten onrechte – buitengesloten.
Ze denkt aan haar wijze vriend, Daniël Pruisen. Met een paar woor-

den heeft hij haar weer teruggevoerd op de juiste weg. En toch...
Dat gevoel van wachten! Het heeft beslist met Stefan te maken. Ze mist hem méér dan ze verwacht had te zullen doen. Dat maakt haar onrustig. De toekomst is niet langer een duidelijk uitgestippelde route. En dat alles dankzij de erfenis van oom Piet.
Soms wilde ze wel dat ze de klok kon terugdraaien.
Ze schrikt op van een vrolijk fluiten, dat haar richting op komt. Nota bene een kerstlied. Wie haalt het nu in zijn hoofd om midden in de lente 'Ere zij God' ten gehore te brengen? Dan kraakt de poort van de achtertuin. Nog vóór deze openzwaait, weet Noortje wie haar komt bezoeken. 'Stefan...' Ze wil opstaan, maar haar benen lijken niet mee te kunnen werken.
'Daar ben ik dan. Toch wat eerder dan verwacht.' Stefan legt een pakje naast haar op de bank en buigt zich voorover om haar te zoenen, pal op de mond.
'Jij...' stottert Noortje.
'Ik? Ik heb je gemist, Noortje. Niet dat dit nieuw voor me is...' Hij gaat vlak naast haar zitten, een hand op haar schoot. 'Ik probeerde onlangs herhaaldelijk het schilderij van mijn gezin af te maken. En dat lukte niet. Wel de kinderen, die heb ik goed getroffen. Maar om mijn overleden echtgenote neer te zetten... ze léék er niet op. Toen kwam ik er achter dat ik, telkens als ik daar stond met de kwast in mijn hand, probeerde iemand anders op het doek te zetten. Namelijk jou!'
Noortjes handen spelen met het ingepakte cadeautje.
'Ik?'
'Ja, jij. En ik weet wel wat je wilt zeggen. Dat we beiden een leven achter ons hebben. En ik vraag op mijn beurt: Nou, én?'
Noortje futselt het papiertje los, laat het zonder meer vallen. Er komt een zilveren beeldje tevoorschijn: een paar geopende handen.
'Dat zijn jóúw handen, Noortje. Jouw handen, die altijd voor anderen bezig zijn.'
Noortje kijkt bijna schuw omhoog, recht in dat eerlijke gezicht, waar ieder lijntje en elk rimpeltje staat voor pijn, voor doorstaan leed.

'Dankjewel. Ik vind het heel, heel mooi!'
Stefan wil iets uitbundiger bedankt worden. En dat laat hij merken ook. Hij legt een hand onder haar kin, zijn ogen zoeken die van Noortje.
Noortje begrijpt wat hij bedoelt. Ze laat zich gaan, geeft zich gewonnen en ze kust hem zacht op zijn glimlachende mond.
Stefan legt een arm om Noortje heen; zo blijven ze zitten, alsof woorden overbodig zijn.
Er hipt een merel voor hun voeten, driftig op zoek naar voedsel en in de pruimenboom van de buren zit haar partner te zingen. Te jubelen.
Noortje verbreekt als eerste het stilzwijgen. Aarzelend, omdat ze zelf nog niet goed weet hoe het haar te moede is.
'Weet je... het loopt allemaal zo anders dan ik gepland had. Dan ik dácht dat het zou lopen. Opeens bemoeien er zich mensen, deskundigen, ik weet het, met mijn project. Het is niet meer míjn boerderij van oom Piet. Ook al zal ik uiteindelijk aan het hoofd van het huis daar staan... toch zit ik met lege handen!'
Ze kijkt naar het beeldje, dat feitelijk een symbool is voor wat ze nu ervaart.
De merel woelt de grond onder de azalea van Bart los, vindt wat zij zoekt en vliegt met een bekje vol voedsel voor de jongen langs hen heen. Noortje staart naar de kleine, zilveren handen. Het is een knap gemaakt beeldje, ze zal het koesteren.
De rechterarm van Stefan krijgt gezelschap van de linker. 'Lieverd, geef mij die handen van je. Je warme, beide handen... ik beloof je dat ik ze zal vullen met alles wat je nodig hebt. Om te beginnen liefde! Ja, meisje, ik ben van je gaan houden. Jij bent belangrijker dan mijn carrière. Dan mijn plannen. Dan... alles. Belangrijker dan het verleden. Want jij leeft... ík leef. We zullen ons samen een weg banen... dwars door alles wat we tegenkomen heen.'
Noortje legt haar hoofd tegen de vierkante schouder van de man naast haar. 'Ja, maar... er is zoveel... mijn kinderen, hun problemen... de boerderij van oom Piet... de idealen die ik zo graag zelf verwezen-

lijkt had. Ja, daar had ik beide handen vol aan. Ik heb los moeten laten. Ik bedoel: ik ben bezig te leren om los te laten...'
Stefans lach borrelt zwaar op. 'Dat is goed. Kom maar, kom maar dicht bij me, met lege handen. Het gaat mij net zoals jou. Ik heb tijdens mijn reis naar Londen gemerkt wat echt van belang is. Schat, het is zo héérlijk om te verlangen, jou te begeren! Een oergevoel!'
Noortje slaakt een zucht van bevrijding. Ja, ze is het met hem eens. Haar lichaam ontspant zich, Stefan voelt het. Het is meer dan een antwoord. Hij legt zijn hoofd op dat van haar.
De veiligheid van liefde kapselt hen in, maakt dat ze roerloos zittend, als één mens, het daglicht zien wijken.
Wat Noortje betreft: geleidelijk aan merkt ze dat ze alles wat haar bezighoudt, bezig hééft gehouden, kan wegduwen naar een verre horizon. Alles is er nog: de kinderen, de problemen, de boerderij van oom Piet. Maar: het zijn ongrijpbare objecten. Er welt een diepe emotie in haar op, dankbaarheid dat ze dit godsgeschenk, dat liefde heet, durft te aanvaarden.
En terwijl er nu twee merels op korte afstand van elkaar muzikaal communiceren, dringt de waarheid, het verlangen van haar hart, tot haar door.
Bijna plechtig zegt ze het: 'Ik ook van jou. Jawel, ik verlang ook naar jou, met hart en ziel, met hoofd en beide handen!'
Alleen de merels zijn er getuige van: twee mensen die elkaar op de aloude manier vinden. In een innige omstrengeling die niets te raden overlaat.
En naast hen, op de bank, ligt daar het voor even vergeten beeldje. Als een symbool van hoe het is geweest, want van nu af aan zijn Noortjes handen meer gevuld dan ooit!